EL LIBRO DE

Crear 300 Jabones artesanales

Con la técnica de fundido y vertido

EL LIBRO DE

Crear 300 Jabones artesanales

Con la técnica de fundido y vertido

Marie Browning

DRAC

Editor: Jesús Domingo
Edición a cargo de Eva Domingo

Título original: *300 Handcrafted Soaps,* de Marie Browning
Publicado por primera vez en inglés en EE.UU. por Sterling Publishing Co, Inc., New York, U.S.A. – www.sterlingpublishing.com

Marqués de Urquijo, 34. 28008 Madrid
Tel.: 91 559 98 32. Fax: 91 541 02 35
E-mail: info@editorialeldrac.com
www.editorialeldrac.com

Este libro se ha negociado por mediación de Uter Körner Literary Agent, S.L., Barcelona – www.uklitag.com

Diseño de cubierta: José M.ª Alcoceba
Fotografías: Jerry Mucklow
Estilismo: Kirsten Jones
Traducción: Rocío Orovengua para Seven

ISBN-13: 978-84-96777-44-6
ISBN-10: 84-96777-44-8
Depósito legal: M-28421-2007
Impreso en Orymu, S.L.
Impreso en España – *Printed in Spain*

Agradecimientos

Marie Browning quiere agradecer a las siguientes compañías sus generosas contribuciones de productos, información, recetas y apoyo:

Aquarius Aromatherapy & Soap
Mission, BC, Canada
www.aquariusaroma-soap.com
Proveedores *on-line* de bases para jabones de fundido y vertido, moldes, fragancias, colorantes, aditivos, incrustaciones, aceites, empaquetado e información sobre todos los aspectos de la elaboración de jabones.

Delta Technical Coatings
Whittier, CA
www.deltacrafts.com
Fabricantes de la línea "Soap Creation" de jabones de fundido y vertido, que incluye bases, moldes, fragancias, brillantina cosmética, colorantes y kits de jabones.

Environmental Technology, Inc.
Fields Landing, CA
www.eti-usa.com
Fabricantes de la línea "Fields Landing Soap Factory" de fundido y vertido, que incluye bases para jabones de aceite de coco auténtico, moldes de tubos de plásticos, moldes de bandeja, fragancias, colorantes cosméticos líquidos y kits de jabones.

Image Hill
North Kansas City, MO
www.soapexpressions.com
Fabricantes de la línea "Soap Expressions" de jabones de fundido y vertido que incluye bases, cubos de jabón, láminas de jabón, cúter para jabón, moldes, fragancias, colorantes, aditivos y kits de jabones.

Life of the Party
North Brunswick, NJ
www.soapplace.com
Fabricantes de bases para jabones de fundido y vertido, moldes, fragancias, colorantes, aditivos y kits de jabones.

Martin Creative
Black Creek, BC, Canada
www.martincreative.com
Diseñador de calidad de moldes para jabones que incluyen moldes de tubo de plástico de dos partes.

Milky Way Molds
Portland, OR
www.milkywaymolds.com
Diseñador de calidad de moldes para jabones que incluyen moldes de tubo de plástico de dos partes.

Sun Feather Natural Soap Company
Potsdam, NY
www.sunsoap.com
Proveedores *on-line* de jabones hechos a mano y materiales para la elaboración de jabones, tanto con la técnica en frío como con la técnica de fundido y vertido.

TKB Trading
Oakland, CA
www.tkbtrading.com
Proveedores *on-line* de bases para jabones de fundido y vertido, bases de aceite vegetal para jabones molidos a mano, moldes, fragancias, colorantes, incrustaciones, aceites e información sobre todos los aspectos de la elaboración de jabones. TKB también fabrica colorantes para jabones de gran calidad.

Yaley Enterprises, Inc.
Redding, CA
www.yaley.com
Fabricantes de la línea "Soapsations" de bases para jabones de fundido y vertido, moldes, imágenes, fragancias y colorantes.

La autora

Marie Browning

Marie Browning es una consumada diseñadora de productos de artesanía que se ha dedicado profesionalmente a diseñar productos, escribir libros y artículos, y a la enseñanza. Es posible sorprenderse de su talento para crear, pero no hay que olvidar a la mujer que hay detrás de todo ello. Ha diseñado plantillas, sellos, transferencias térmicas y muchos otros productos para empresas proveedoras de artículos de artesanía.

Este libro es su tercera obra sobre el arte de la elaboración de jabones, los otros fueron *Beautiful Handmade Natural Soaps* (1998) y *Melt & Pour Soapmaking* (2000). Además de libros sobre este tema, Browning ha escrito otros cuatro libros publicados por Sterling: *Handcrafted Journals, Albums, Scrapbooks & More* (1999), *Making Glorious Gifts from Your Garden* (1999), *Hand Decorating Paper* y *Memory Gifts* (2000). Sus artículos y diseños han aparecido en *Handcraft Illustrated, Better Homes & Gardens, Canadian Stamper, Great American Crafts, All American Crafts,* y en numerosos libros publicados por Plaid Enterprises, Inc.

Marie Browning obtuvo su título en Bellas Artes en Camosun College y asistió a clases en la Universidad de Victoria. Es miembro profesional de la Canadian Craft and Hobby Association, la Stencil Artisans League y la Society of Craft Designers.

Vive, cuida su jardín y realiza sus creaciones en Vancouver Island, Canadá. Tiene tres hijos con su marido, Scott: Katelyn, Lena y Jonathan.

Índice

Introducción

Desarrollar 300 recetas diferentes para elaborar jabones con la técnica de fundido y vertido ha sido todo un reto. Mi intención era diseñar diferentes tipos de jabones que fueran prácticos y, al mismo tiempo, divertidos, y para ello tenía que organizarme durante el proceso. Utilicé 39 kg y 100 g de bases para fundido y vertido, unas 160 fragancias diferentes, 74 tipos de aditivos, 114 moldes, 42 clases de colorante y 27 técnicas diferentes que han dado lugar a la selección que se presenta aquí.

Todas las recetas utilizan la técnica de fundido y vertido, pero también pueden usarse para elaborar jabones molidos a mano con los ajustes apropiados. Elegí esta técnica por su sencillez y la facilidad para encontrar los productos que emplea. Cualquiera puede encontrar los materiales necesarios y aprender las sencillas técnicas para elaborar este tipo de jabones. Sin duda, la amplia variedad de productos disponibles y la colaboración de los fabricantes facilitaron mi trabajo. Gracias a todos los artesanos del jabón que compartieron sus recetas conmigo y a mi familia, que me dio estupendas ideas. Yo misma he perfeccionado las técnicas y probado las combinaciones de fragancias para asegurar los resultados de sus creaciones. Espero que el proceso de creación de sus jabones sea gratificante y que disfrute con ello.

Marie Browning

Materiales para la elaboración de jabones

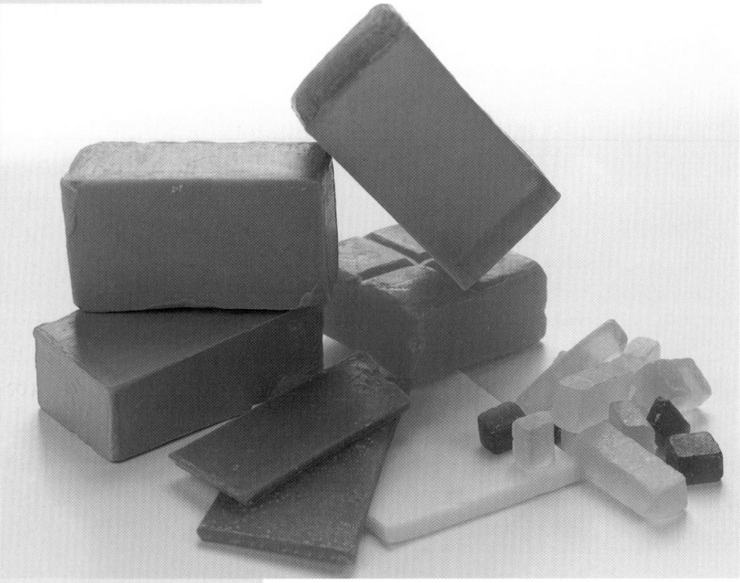

Los ingredientes y los materiales que se necesitan para la elaboración de jabones con la técnica de fundido y vertido se encuentran disponibles en tiendas donde se venden materiales de artesanía, tiendas de comestibles, herbolarios, droguerías y en la venta por catálogo. Algunos artículos se pueden encontrar en cualquier cocina. Esta sección presenta y explica los materiales que necesitará para elaborar jabón en su casa, e incluyen:

Bases para jabones

Fragancias

Aditivos

Colorantes

Moldes

Herramientas

Base con la técnica de fundido y vertido

Existen muchos tipos de bases para jabones elaborados con la técnica de fundido y vertido. Los tres tipos básicos son: base para jabones de glicerina transparente, de glicerina blanqueada y de aceite de coco blanco. Las variaciones son el resultado de aditivos mezclados en las bases, como aceite de oliva, aceite de coco, aceite de cáñamo y colorantes. Todas las bases de fundido y vertido están pensadas para que se derritan fácilmente en el microondas o al baño María y para verterse en moldes.

Quienes estén familiarizados con la técnica de molido a mano y proceso en frío desearán conocer las diferencias que hay entre esa técnica y la de fundido y vertido:

- El agua nunca se añade a las bases de fundido y vertido puesto que les da una textura limosa y hace que no se solidifiquen apropiadamente.
- Los jabones elaborados con la técnica de fundido y vertido se endurecen inmediatamente, lo que permite crear jabones hechos a mano de forma instantánea.
- Las posibilidades creativas son mayores con la técnica de fundido y vertido.

Base para jabones de glicerina transparente

Los jabones de glicerina de buena calidad deben ser suaves para todo tipo de pieles y han de tener poca fragancia (de modo que estén listos para sus emulsiones). Si desea que un jabón de glicerina sea más transparente cuando se moldea, simplemente derrítalo, déjelo endurecer y vuelva a derretirlo antes de verterlo en el molde. La segunda vez que se derrite ayuda a eliminar el exceso de humedad del jabón. La mayoría de los jabones de glicerina se derriten entre los 57 y los 63 ºC.

Base para jabones de glicerina blanqueada

La mayoría de las bases para jabones de fundido y vertido son jabones de glicerina blanqueada con dióxido de titanio, con un pigmento mineral blanco. A veces se denominan "jabón de aceite de coco" cuando se le añade aceite de coco extra. El jabón tiene una apariencia translúcida y lechosa cuando se derrite y requiere un punto de fundición más bajo. Puede elaborar sus propios jabones de glicerina blanqueada añadiendo colorante blanco a una base de jabón transparente. Utilizar el colorante blanco le permite controlar los efectos (puede añadir un poco de colorante a un jabón transparente o más colorante para obtener un jabón opaco).

Base para jabones de aceite de coco blanco

Esta base es jabón de aceite de coco auténtico, no jabón de glicerina blanqueada con aceite de coco añadido. Elaborado con coco y aceites vegetales, este tipo de jabón tiene un pH equilibrado, está enriquecido con vitamina E y hace que la piel esté suave, limpia y sana. El aceite de coco ayuda a crear una barrera protectora que mantiene la piel flexible. Saber si se está utilizando aceite de coco auténtico es sencillo: cuando se funde, se vuelve transparente, cuando se ha endurecido por completo, se convierte en un jabón blanco brillante. El aceite de coco auténtico tiene el punto de fundición alto (88 ºC), lo que lo convierte en un jabón de excelente y sólido acabado. Esta temperatura tan alta puede derretir determinados moldes, por lo que es necesario asegurarse de enfriar el jabón fundido removiéndolo antes de verterlo en el molde.

Otros tipos de bases de jabón de glicerina

La mayoría de los jabones restantes tienen base de glicerina. Los ingredientes añadidos proporcionan diferentes cualidades. Algunos ejemplos son:

- Glicerina con aceite de coco: esta base es de un color blanco opaco y puede tener una ligera fragancia a coco.
- Glicerina con aguacate y pepino: esta base, opaca y de un verde pálido, está enriquecida con vitamina E. Esta mezcla mantiene los aditivos distribuidos uniformemente en el jabón.
- Glicerina con aceite de oliva: esta base es de color ámbar translúcido y natural o de color verde. El aceite de oliva añadido hidrata la piel. Contiene vitamina E y antioxidantes.
- Glicerina con aceite de cáñamo: sedoso y suave, este jabón, de color verde translúcido y natural, es muy bueno para las pieles secas y se conoce por sus cualidades para reparar las células dañadas de la piel.
- Glicerina con leche de cabra: este jabón, de color blanco opaco, tiene propiedades nutritivas y mantiene el pH de la piel en los niveles naturales.
- Base para jabones de glicerina coloreada: incluye bases coloreadas transparentes, opacas y de colores fluorescentes.
- Base escarchada para jabones: esta base especial, elaborada para acentuar el acabado de los jabones, tiene la apariencia del azúcar glasé.

Forma de las bases para jabones

Las bases para jabones presentan diferentes formas, que incluyen bloques, barras, láminas, elementos de la naturaleza (mariposas, estrellas, corazones, etc.), cubos, volutas y virutas.

La elección de la calidad para las bases para jabones de fundido y vertido

Para obtener los mejores resultados y la más alta calidad, es importante adquirir bases confeccionadas con aceites vegetales que no incluyan componentes de origen animal ni alcohol o cera. Este tipo de componentes es más barato y determina el precio de las bases. Añadirlos a la base para jabones de glicerina empobrece las cualidades purificantes y espumosas del jabón, y puede afectar a su olor y apariencia.

Ciertos tipos de bases de glicerina contienen alcohol añadido para eliminar la humedad y hacer el jabón más transparente. No obstante, el alcohol proporciona un olor muy fuerte al jabón, y puede ocasionar problemas de salud y seguridad; es altamente inflamable y puede arder cuando la base está fundiéndose. Además, puede irritar la piel, y su uso continuado tiende a secarla en exceso. Los jabones que contienen alcohol nunca deben aplicarse sobre pieles sensibles o secas.

Fragancia

Añadir los aceites de fragancias es una parte importante del proceso de elaboración de jabones. Algunos aromas se crean a base de aditivos, pero no están lo suficientemente perfumados como para elaborar una pastilla de jabón aromático. Los tipos principales de aceites son los aceites esenciales (esencias frescas de flores y hierbas producidas mediante plantas) y los aceites de fragancias, hechos a través de procesos sintéticos.

Los aceites de fragancias son los ingredientes más caros, pero también los más importantes. Yo utilizo ambos tipos para mis recetas de jabones. Los aceites de fragancias ofrecen una amplia selección de aromas que no podrían obtenerse si sólo se utilizaran aceites esenciales.

No recomiendo comprar aceites baratos o extractos: el resultado es decepcionante. Desaconsejo utilizar extractos condimentados, mezclas de flores secas o aromas de velas en sus creaciones de jabones. Su empleo sobre la piel puede ser peligroso.

Aceite esencial

De las miles de plantas que hay en el mundo, sólo 200 producen los aceites esenciales aromáticos que se usan en el arte de los perfumes. Capturar la fragancia de las flores es una tarea que se lleva realizando desde la antigüedad por sus cualidades aromáticas, curativas y sus efectos sobre el estado de ánimo. Los aceites esenciales son muy concentrados y deben diluirse antes de aplicarse sobre la piel o mezclarse en el jabón (se considera que un 1 por ciento o menos es la cantidad que debe utilizarse en la elaboración de jabones). Un exceso de aceite esencial puede causar una irritación grave en la piel. Las personas con pieles sensibles o alergias deben tener cuidado cuando empleen aceites esenciales en sus jabones.

Aceite de fragancias

Los aceites de fragancias son mucho más baratos que los aceites esenciales. Puesto que muchos son sintéticos y no provienen de plantas específicas, presentan una mayor variedad de aromas y preparados que los aceites esenciales. Muchos aceites de fragancias de calidad son preparados de aceites esenciales.

TRUCOS

Cuestiones que hay que recordar cuando se añaden las fragancias a los productos:

- En las recetas, he añadido una cantidad moderada de aceites de fragancias para conseguir un aroma agradable y sutil. Se puede añadir una cantidad un poco más alta para obtener un aroma más fuerte.

- La cantidad de fragancia necesaria para cada receta de jabón varía dependiendo del aroma seleccionado. Algunos aceites son considerablemente más fuertes que otros. En cualquier caso, debe hacerse más fuerte de lo que se espera como resultado final, puesto que parte de ella se disipa.

- En este libro me refiero a aceites de fragancias y esenciales como aceites de fragancias. Déjese guiar por su instinto para saber qué aceites adquirir. *Sugerencia:* Cuando compre aceites de fragancias, lleve una bolsa de café molido fresco y huélalo de vez en cuando para aclarar su olfato.

Su nariz puede ayudarle a determinar la calidad del aceite de fragancias. Los aceites diluidos con alcohol tienden a oler de forma parecida. Los aceites de fragancias que contienen alcohol perjudican las bases para jabones de fundido y vertido porque el alcohol expulsa la humedad que forma cristales blancos en el jabón.

Los aceites de fragancias de calidad tienen un olor suave pero concentrado. Cuando elabore el jabón, tendrá que utilizar más aceite de fragancias de baja calidad del que necesitaría en caso de que fuera de buena calidad para conseguir el mismo resultado. Puesto que se necesita menos aceite y el aroma es muy importante en el acabado final, los aceites de fragancias de buena calidad son una sabia inversión.

Preparados de fragancias básicas

Los preparados de fragancias se llevan usando desde la antigüedad para crear lujosos frascos llenos de sueños. Preparar sus propios aromas para elaborar fragancias cautivadoras y duraderas no es difícil. En este libro muchos tipos de jabones utilizan combinaciones de aceites de fragancias para crear aromas. Cuantos más aceites reúna, más creatividad podrá emplear.

Los aromas se clasifican en grupos en el mercado. Conocer estos grupos ayuda a decidirse sobre la evolución de los preparados. Por ejemplo, un aroma de rosa (de la categoría floral), con un ligero toque de clavo (de la categoría de las especias). Por supuesto, la elección se basa en sus propios gustos. Mientras a algunas personas les encantan los aromas exóticos, de la tierra, ricos, otras prefieren los aromas frescos, limpios, de los cítricos o las hierbas. La tendencia hoy en día son los perfumes de aromas únicos, con olores a plantas naturales como el de las naranjas frescas o la hierbabuena. Aunque estos perfumes huelan a una única fruta, flor o hierba, también contienen otros aromas que los hacen más duraderos y atractivos. Los diferentes aromas, llamados "notas", se dividen en los tres elementos siguientes:

Aroma principal: la clave o aroma principal de su preparado.

Mezcladores: estos aromas adicionales realzan el aroma principal y componen las notas medias del preparado.

Aromas de contraste: estos aromas reavivan el preparado y proporcionan las notas bajas, que son los aromas duraderos.

GRUPOS DE FRAGANCIAS

La siguiente es una lista parcial de fragancias y los grupos de aromas en los que se incluyen:

Cítricos
Bergamota
Hierba de limón
Lima
Limón
Mandarina
Naranja dulce
Pomelo
Pomelo rosa

Elementos de la tierra
Almizcle
Ámbar
Incienso
Miel
Pachuli
Sándalo

Flores
Jazmín
Lavanda
Lila
Lirio de los valles
Plumaria
Rosa
Violeta
Yland-yland

Frutas
Albaricoque
Arándano
Coco
Kiwi
Mango
Manzana verde
Melón
Morera
Pera
Zarzamora

Hierbas
Árbol del té
Baya del laurel
Camomila
Enebro
Eucalipto
Hierbabuena
Pepino
Pino
Romero
Salvia

Mezclas
Almendra caramelizada
Arce de mantequilla
Azúcar moreno
Barra de caramelo
Chocolate
Girasol
Lluvia
Océano
Talco

Picante
Canela
Clavo
Jengibre
Preparados de especias mezcladas
Vainilla

Éste sería un ejemplo: la esencia principal es el aroma general que se desea crear, como el aroma tropical del coco. El preparado de esencias pueden ser las notas florales del Yland-yland que realzan y endulzan el aroma principal. Los aromas de contraste podrían ser vainilla, que aviva el aroma sin sobrepasar las dos esencias básicas y que proporciona la nota duradera.

Puntos a tener en cuenta cuando se elaboran los preparados:

- *¿Qué es el fijador?* Se necesita un fijador para ayudar a dar a la planta una cualidad duradera y hacer que libere la fragancia de forma moderada. El fijador tiene lugar en las células de la planta y mantiene el aroma. Puede no tener olor o añadir su propio aroma al preparado. En la elaboración de jabones, el fijador puede ser la base o aditivos botánicos secos.
- *Pruebe sus propias fragancias* vertiendo unas gotas de aceite en una servilleta de papel. Deje que el aceite se mezcle durante varias horas y huélalo para evaluarlo. Aclare y refresque su olfato oliendo café molido fresco de vez en cuando durante la elaboración de los preparados.
- *Aromas mezclados:* Algunos aromas incorporan olores de otras categorías. Los mejores incluyen lima, hierbabuena, lavanda, rosa, jazmín, sándalo, vainilla, canela y miel.
- *No olvide la humedad:* La piel seca no mantiene la fragancia tan bien como una piel que está bien hidratada.

Aromaterapia

La aromaterapia –la terapia que emplea aceites derivados de plantas–, se basa en las tradiciones médicas de hierbas que datan de la era prehistórica. Los antiguos egipcios, griegos, romanos y hebreos se encuentran entre los primeros en documentar el uso de fragancias para fines médicos o cosméticos. Es el aceite esencial de una planta, a menudo denominado como "el alma" de la planta o el "espíritu", lo que se cree que afecta emocional, física y estéticamente a nuestro ser.

Recientemente, la aromaterapia ha inundado el sector cosmético y muchas empresas han presentado una línea de cosméticos que ofrece los beneficios de las fragancias. Aunque no se pueden probar aspectos médicos, es indiscutible que un relajante baño aromático puede calmar y renovar nuestro ánimo.

Cualidades atribuidas a los aceites esenciales

Muchos aceites esenciales tienen efectos y cualidades específicas. A continuación se detallan algunas de las aplicaciones básicas. Los investigadores establecen dos grupos: sus beneficios provienen de los aromas o de otras propiedades de los aceites.

Calmante y relajante: lavanda, sándalo, madreselva, camomila, ylang-ylang, mandarina, rosa, hierba luisa.
Energizante: romero, hierbabuena, limón, lima, jazmín, miel.
Estimulante y revitalizador: bergamota, naranja, jazmín, romero, hierba luisa, menta, salvia, pino.
Antiséptico: Árbol del té, eucalipto, hierbabuena, lavanda.

PRECAUCIONES

Los aceites esenciales son sustancias muy fuertes y que están altamente concentradas. Es importante conocer unas pautas de precaución cuando se trabaja con ellos.

- No ingerir aceites esenciales.
- Evitar aceites esenciales, productos naturales de hierbas y baños de sal durante el embarazo.
- Los aceites esenciales siempre deben diluirse en una base, no son perfumes que puedan aplicarse directamente sobre la piel.
- Mantenga los aceites esenciales lejos del alcance de los niños.
- No deje los aceites esenciales en contacto con algún elemento plástico. Algunos de estos aceites pueden disolverlo.
- Mantenga los aceites esenciales lejos de superficies barnizadas o pintadas. Por ejemplo, el aceite de canela puede despegar la pintura de los muebles.

Potenciador de la concentración: incienso, hierbabuena, pomelo, canela, camomila, lavanda, naranja, ylang-ylang.

Aditivos para jabones

Los aditivos como la harina de avena, hierbas secas y aceites pueden añadirse a las bases para obtener un efecto nutritivo, suavizante y purificador. Los aditivos empleados para elaborar jabones se pueden encontrar en tiendas de comestibles, herbolarios y tiendas de material de artesanía. Todos los ingredientes aportan sus cualidades únicas a los productos. También muchos pueden añadir colores interesantes y texturas a los jabones.

Recuerde estos puntos cuando añada aditivos a sus jabones:

- **Siempre** utilice ingredientes recomendados. Sólo porque un ingrediente sea natural no significa que sea seguro para su empleo en jabones.

- Una cantidad excesiva de un aditivo puede reblandecer su jabón o volverlo áspero y desagradable. Siga la receta y use la cantidad recomendada.

- No use verduras frescas o frutas en jabones de fundido y vertido. Cualquier material que no esté adecuadamente seco o conservado puede hacer que su jabón se estropee rápidamente.

- Tenga cuidado con recetas que incluyen aditivos que hacen que el jabón adquiera una apariencia atractiva pero poco práctica o que no añadan beneficios. Por ejemplo, el popurrí de los comercios puede parecer atractivo espolvoreado sobre un jabón transparente, pero puede contener ingredientes peligrosos para su piel.

- Cuando añada aceites extra, incluya un conservante natural para que dure más tiempo. Algunos conservantes naturales son el ácido cítrico, el aceite de vitamina E y el extracto de semillas de pomelo.

ADITIVOS SEGUROS

Aceites
Aceite de almendras dulces
Aceite de oliva
Aceite de palma
Mantequilla de cacao
Mantequilla de Shea

Conservantes
Ácido cítrico
Extracto de semillas de pomelo
Vitamina E (abra una cápsula y viértala en el jabón fundido)

Especias
Anís
Canela
Cardamomo
Clavo
Palo de vainilla
Pimentón
Pimienta inglesa
Turmérico

Frutos secos
Almendras
Avellana
Coco

Misceláneo
Agua de rosas
Arcilla
Cáscara de ostra
Gel de aloe vera
Glicerina (líquida)
Harina de avena
Harina de maíz
Leche (entera de vaca en polvo, de cabra y de mantequilla)
Miel
Polen de abeja
Pómez
Sal (de mar, sal gruesa)
Salvado de trigo
Tapioca

Plantas (secas)
Agujas de pino
Albaricoques triturados
Alga marina
Arándanos
Brotes de lavanda
Capullos de camomila
Escaramujo
Granos de café
Hamamelis (extracto de hojas y líquido)
Hierba de limón
Hoja de fresa
Hoja y flor de bergamota
Hojas de eucalipto
Hojas de hierba luisa
Hojas de hierbabuena
Hojas de romero
Hojas de salvia
Jengibre
Luffa
Pétalo de caléndula
Pétalos de rosa
Piel de limón
Piel de naranja
Sándalo
Semillas de amapola
Té verde

Precauciones

El hecho de que las plantas sean naturales no significa que sean seguras. Muchos de los venenos más mortales del mundo proceden de las plantas. Las hierbas deben utilizarse con precaución puesto que muchas son irritantes, potencialmente peligrosas o pueden causar reacciones alérgicas. Casi todos los aditivos, naturales o sintéticos, pueden provocar una reacción alérgica o irritar una piel sensible.

Aunque estas reacciones son molestas, es posible evitar que vuelvan a producirse eliminando el ingrediente que ha provocado la reacción. Puede realizar un test sencillo para asegurarse de que no sufre alergia a un jabón frotando la delicada parte interna del codo con una pequeña cantidad de jabón y agua. Si es sensible a alguno de los ingredientes, su piel se pondrá roja y desarrollará un ligero sarpullido.

- Evite el uso de jabones con ingredientes abrasivos en su cara. Guarde ese tipo de jabones para zonas más ásperas como los codos, las rodillas y las manos. Los jabones elaborados con la técnica de fundido y vertido que incluyen aceites esenciales y grasas extra para hidratar son los mejores para la limpieza de su cara.

- Utilice los aditivos naturales recomendados. Si quiere saber más sobre este tema, hay muchos libros que le pueden informar sobre el empleo seguro de los productos naturales.

- Utilice sólo hierbas y flores limpias y sin insecticidas ni elementos químicos. Yo prefiero utilizar plantas que yo misma he cultivado. Cuando esto no es posible, cómprelas (orgánicas a ser posible) de una tienda de productos naturales, o frescas del mercado y séquelas usted. No use plantas secas de popurrí o mezclas de flores en los jabones, no siempre es seguro y pueden contener pigmentos peligrosos o elementos químicos.

- La mantequilla de cacao, el aceite de coco y las almendras pueden producir reacciones en las personas alérgicas al chocolate y a los frutos secos.

- Los emolientes naturales como la lanolina y la glicerina pueden causar reacciones en personas de piel sensible.

- La miel, el polen de abeja y la cera de abeja pueden causar reacciones en personas con alergia al polen. No utilice miel no pasteurizada para productos aromáticos que vayan a emplearse en niños.

SUGERENCIAS

Para mezclar aditivos

- **Pesar y mezclar.** Pese sus aditivos y mézclelos antes de añadirlos al jabón fundido.

- **Evitar el apelmazamiento de los aditivos.** Dado que algunos aditivos como la leche en polvo o las especias tienden a apelmazarse, es mejor no mezclarlos con glicerina líquida antes de añadirlos al jabón fundido.

- **Mantener los aditivos en la superficie.** Los aditivos como las especias en polvo, las semillas y los granos se hunden hasta el fondo del molde o flotan en la superficie del jabón. Este efecto puede dar al jabón una apariencia natural y curiosa, y para conseguirlo, puede añadir los aditivos al jabón fundido antes de verterlos o colocarlos en el fondo del molde y echar la base del jabón fundido encima.

- **Aditivos en suspensión.** Para elaborar un jabón con aditivos en suspensión, existen dos opciones:

  Opción 1: Una base especial. Puede comprar bases preparadas para este tipo de aditivos. Simplemente añada los aditivos, mézclelos y viértalos en el molde.

  Opción 2: Un paso extra. Tras añadir los aditivos en la base fundida, remueva suavemente el jabón con una cuchara hasta que ésta se enfríe y solidifique. Tan pronto como el jabón empiece a espesarse, viértalo en el molde. El jabón se solidificará con los aditivos suspendidos en él. Hay que tener cuidado de no dejar que el jabón espese tanto que no pueda verterse. Si esto sucede, vuelva a derretirlo y viértalo de nuevo. *Sugerencia:* He descubierto que cuando se mezcla una gran cantidad de jabón, resulta útil tener un montoncito de jabón del mismo tipo en la mano para añadirlo. Esto enfriará y espesará rápidamente el jabón fundido.

Colorantes

El color es un ingrediente importante del encanto del jabón. Puede añadir especias y hierbas secas para conseguir jabones naturales o colorantes cosméticos para obtener una pastilla de jabón de colores brillantes.

Opciones para colorantes

Los jabones coloreados con polvos naturales tienen una apariencia saludable, del campo, con un atractivo color marrón cálido y matices de color café claro. Algunos polvos naturales incluyen polvo de coco, hierbas secas y especias molidas.

Los colorantes cosméticos están disponibles tanto sólidos como líquidos, y pueden encontrarse en las secciones de elaboración de fragancias de tiendas especializadas o de materiales para jabones. Los cosméticos de buena calidad dan lugar a colores limpios, auténticos y son excelentes para los preparados y para crear diferentes tonalidades. Los colores líquidos pueden ser rojo, azul, amarillo, naranja, verde, blanco y negro. Algunos colorantes líquidos también están disponibles en una gran variedad de tonalidades.

Para conseguir efectos sorprendentes, también puede emplearse brillantina cosmética.

No utilizar colorantes alimentarios

Los colorantes alimentarios no son apropiados para la elaboración de jabones puesto que el color desaparece rápidamente. Tampoco son apropiados para el aceite de baño. Los pigmentos no se disuelven en el aceite ya que se asientan en la superficie formando gotas flotantes de color concentrado. No obstante, puede usar cantidades pequeñas de colorante alimentario para crear sales de baño con color y baños de burbujas.

Fundamentos para mezclar jabones

El mejor modo de aprender a mezclar jabones es con la práctica y la experimentación. Para comenzar, es útil conocer estos principios básicos.

SUGERENCIAS

Puntos a tener en cuenta cuando se añaden colorantes:

- En las recetas de este libro, las cantidades para los colorantes líquidos se enumeran en gotas.
- Dado que los resultados pueden variar mucho dependiendo del tamaño o el número de gotas que emplee, tome notas mientras mezcla los colores para llevar un registro de sus resultados. Anote también el tipo de base para jabones que utilice: en una base de glicerina transparente, los colores aparecen claros y con matices brillantes; en una base de aceite de coco blanco, los mismos colorantes crean tonos pasteles.
- Algunos colorantes son transparentes y crean una base de glicerina clara mientras que otros confieren una tonalidad opaca al jabón. Pruebe sus colorantes antes para evitar sorpresas desagradables.
- Algunos aceites de fragancias tienen un color fuerte y teñirán el jabón. Por ejemplo, si desea elaborar un jabón de color azul translúcido, añadir el aceite de fragancia de vainilla (que tiene una tonalidad ámbar fuerte) dará al jabón un tono verdoso.
- Añadir demasiado colorante hace que los colores se fusionen más rápidamente en los jabones de dos colores.

Los colores primarios son rojo, azul y amarillo. Los colores secundarios son mezclas de los primarios: verde (amarillo + azul), morado (rojo + azul) y naranja (rojo + amarillo). *Los colores intermedios* son mezclas de los primarios con un color secundario próximo en el círculo cromático: verde lima, que es una mezcla de amarillo + verde.

Los colores complementarios son los opuestos unos de otros en el círculo cromático: rojo es el complementario del verde, morado es el complementario del amarillo, azul es el complementario del naranja. Cuando se mezcla un color con su complementario, el resultado es que el color se mitiga, haciéndose menos intenso.

Éstos son algunos ejemplos:

- Ciruela cenicienta: morado + un toque de su complementario, el amarillo.
- Ocre dorado: amarillo + un toque de su complementario, el morado.

Las sombras se consiguen añadiendo el negro a un color; los matices se obtienen con el blanco.

Utensilios

El equipo y los utensilios básicos para la creación de jabones con la técnica de fundido y vertido son elementos típicos de una cocina que posiblemente ya tenga.

Tazas medidoras de cristal: Use tazas medidoras de cristal resistentes al calor para fundir las bases para jabón en el microondas o en un hornillo (con una cacerola para baño María). Necesita tamaños de 1 taza, 2 tazas y 4 tazas.

Cucharas medidoras: Necesita un juego de cucharas medidoras de plástico o de metal para calcular los aditivos.

Cuentagotas de cristal: Necesitará de tres a cinco cuentagotas de cristal para medir los aceites de fragancias. **No utilice cuentagotas de plástico.** Pueden no estar completamente limpios (de modo que contaminaría sus aceites con otras esencias), y algunos aceites esenciales pueden disolver el plástico.

Molinillo de especias o de café eléctrico: Un molinillo eléctrico pequeño resulta muy útil cuando se muelen pequeñas cantidades de aditivos como especias, almendras o harina de avena. Limpie el molinillo tras su uso moliendo un poco de pan fresco o arroz (que absorben el aceite). Después, séquelo con una servilleta de papel.

Mortero: A veces prefiero utilizar un mortero para moler en lugar del molinillo, pues siento que tengo más control. El mortero se limpia con facilidad: sólo tiene que pasarle una servilleta de papel tras su uso.

Cuchara de madera para revolver: Las cucharas de cocina de metal o madera son necesarias para mezclar el jabón fundido. Dado que las cucharas de metal no transfieren fragancias, es seguro usarlas para comer después de limpiarlas. Si usa cucharas de madera, márquelas de modo que se vea claramente con: SÓLO PARA USO EN LA ELABORACIÓN DE FRAGANCIAS, y no las use para comer ya que la madera mantiene los aromas y los pasa a su comida.

Cazo grande *(para el método del hornillo)*: Necesita un cazo grande de cualquier metal. Utilice la cacerola para el baño María: ponga agua en el cazo e introduzca en él una taza medidora de cristal resistente al calor para fundir las bases para jabones.

Vasos de papel: Ponga los aditivos en vasos de papel que también puede utilizar como ayuda para nivelar moldes de bandeja que no se mantienen nivelados en superficies planas.

Cuchillo afilado: Use un cuchillo afilado para cortar bloques de base para jabones de fundido y vertido en piezas más pequeñas y para cortar sus jabones terminados. Si tiene diferentes tipos, desde cuchillos pequeños para pelar hasta cuchillos de carnicero, tanto mejor.

Papel de cera: Utilice papel de cera para proteger su área de trabajo cuando vierta y moldee los jabones.

Biselador de jabones: Es realmente un aplanador que puede utilizarse para biselar los bordes del jabón. También puede emplearse para limpiar las superficies del jabón y para crear estupendas volutas.

Utensilios de cocina: Muchos utensilios de cocina vienen bien para obtener efectos especiales. Un sacabolas puede utilizarse para hacer agujeros uniformes en el jabón; un cortador para biselar puede emplearse para cortar jabones dándoles una decorativa forma ondulada.

Los cuidados para los utensilios y el equipo

Limpie los utensilios de cristal con cuidado tras su uso. Una vez limpios, pueden utilizarse para preparar comida. Los artículos de madera y metal empleados en la elaboración de jabones no deben usarse para comer.

Moldes

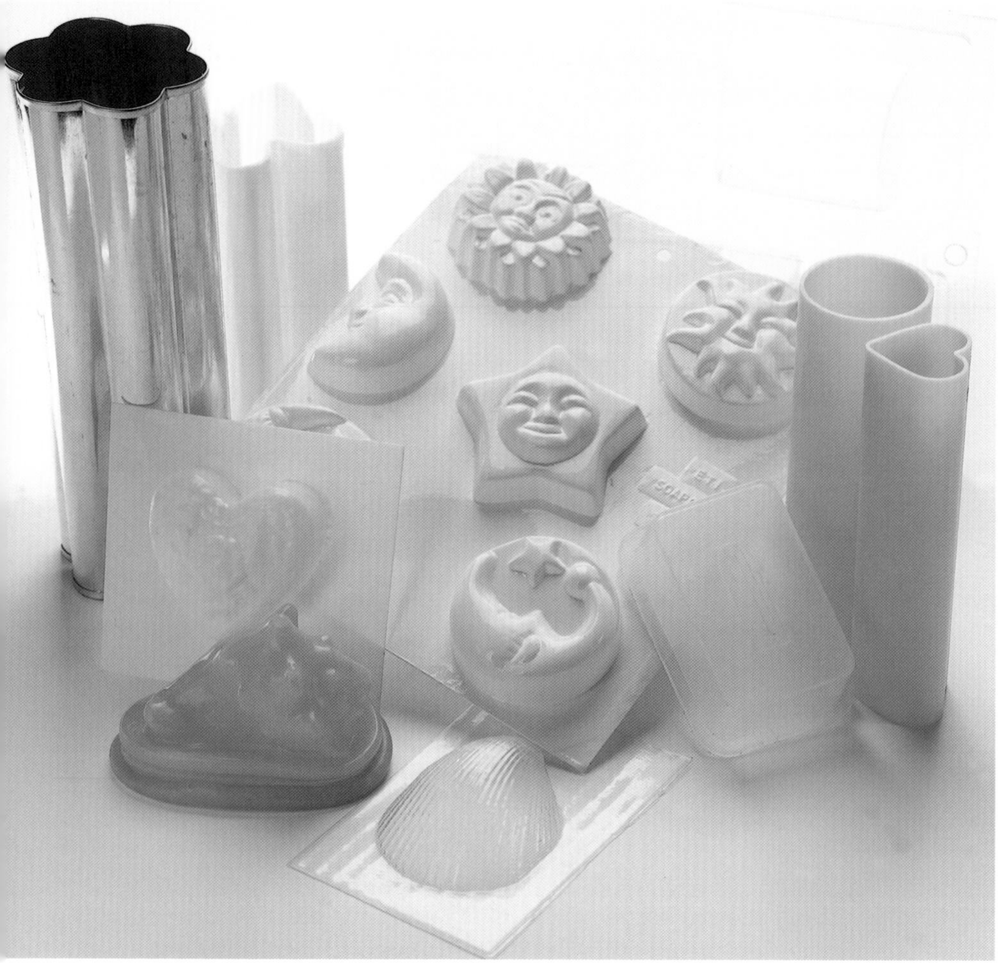

Los moldes ayudan a que sus jabones tengan una apariencia más profesional y atractiva. Es una buena ida tener una selección de moldes para jabones que incluya formas tradicionales y formas simpáticas.

La mayoría de los moldes pueden tolerar temperaturas de 57 a 62 ºC. Los jabones sobrecalentados pueden deformar incluso los mejores moldes. Esto puede suceder especialmente con jabón de aceite de coco, que tiene un punto de fundición alto (87 ºC). Para evitar que el molde se deforme, enfríe el jabón removiéndolo o colocando el molde sobre un poco de agua.

Los diseños de moldes aparecen de forma más clara y precisa en jabones duros que en los blandos. Añadir aceite de palma o mantequilla de cacao ayuda a endurecer los jabones de glicerina blandos.

Precaución: Tenga cuidado cuando elija recipientes de plástico para moldear sus jabones. Algunos no soportan las altas temperaturas del jabón fundido y pueden derretirse.

Moldes especiales para la elaboración de jabones

Los moldes de plástico que soportan altas temperaturas son, en general, los mejores para elaborar jabones. Sus contornos lisos y profundos permiten crear jabones de apariencia profesional con seguridad y desmoldarlos fácilmente. Vienen en formas individuales o en bandejas de motivos curiosos. Están diseñados para durar y soportan las altas temperaturas de la técnica de fundido y vertido sin derretirse ni deformarse. Los moldes de buena calidad no requieren tratamientos previos para soltar los jabones endurecidos y se equilibran por sí mismos. Existen moldes para jabones grandes en una gran variedad de tamaños y de formas. Busque formas muy pequeñas diseñadas especialmente para jabones en trozos en tiendas de artesanía.

Los moldes de tubo pueden ser de plástico o de metal, con forma tubular o de dos partes encajadas. Si se tiene una selección de moldes de tubos pequeños y grandes con formas básicas, podrá realizar una gran variedad de diseños. También tienen otros usos culinarios y de artesanía.

Los moldes fundidos de resina individuales son excelentes para elaborar pastillas de jabón para el hogar. El número de gramos de jabón fundido que el molde puede contener aparece en el fondo de cada molde.

Moldes de vela

Algunos tipos de moldes de vela de plástico son apropiados para elaborar jabones. Dado que están preparados para soportar las altas temperaturas de la cera, también pueden soportar el jabón fundido sin derretirse. No obstante, puede resultar difícil el desmolde. Para conseguir los mejores resultados, elija moldes bajos y anchos mejor que largos y estrechos, y utilice siempre un producto para desprender el jabón.

Los moldes de vela de metal pueden soportar altas temperaturas pero la mayoría de los jabones reaccionan con el metal, especialmente con el aluminio. Esta reacción hace que el metal se carcoma y la corrosión destiñe el jabón, y terminará por estropear el molde. Al ser rígidos, se necesitan productos para desprender el jabón.

Moldes de látex

Este tipo de moldes crean bonitos jabones tridimensionales (también se puede usar moldes de goma para elaborar velas). Dado que los moldes de goma roja flexible pueden transferir el color al jabón, elija moldes de goma de color ámbar.

También puede hacer sus propios moldes de goma con un producto para crear moldes de goma líquida, que le proporcionará una variada selección de formas. ¡Imagine usar un caparazón o una figurita de cristal para elaborar sus propios moldes de jabón!

Recipientes de plástico para guardar comida

Los recipientes para sándwiches pequeños (11 x 15 cm) pueden servir para crear pastillas de jabón. Intente encontrar algunos que no tengan diseños en el interior y con esquinas redondeadas. **Precaución:** Algunos recipientes de plástico no pueden soportar las altas temperaturas de la base de jabón fundido y acabarán por derretirse. Busque recipientes que sean resistentes al lavavajillas y microondas. Tenga cuidado con recipientes de plástico de usar y tirar y con los de comida para llevar puesto que están diseñados para un único uso y no son resistentes. Cuando utilice recipientes de plástico, remueva siempre el jabón antes de verterlo para enfriarlo.

Moldes de escayola y caramelo

Este tipo de moldes pueden deformarse dado que no soportan las altas temperaturas de los jabones. Si se vierte jabón fundido caliente en ellos, se derriten o deforman derramando su contenido y pueden provocar quemaduras si no se tiene cuidado. Muchos moldes de plástico diseñados para guardar comida son tentadores por sus estupendos diseños y formas, pero sin duda se deformarán y derretirán cuando se le añada el jabón. Por ello, muchas tazas de plástico no son apropiadas para la elaboración de jabones.

Productos para desprender el jabón

Para ayudar a desprender el jabón del molde, prefiero cubrir el molde con una fina capa de gelatina de petróleo antes de verter el jabón. La gelatina de petróleo se emplea mucho en cosmética como emoliente y no deja residuos pegajosos en el jabón.

El proveedor de moldes "Milky Way" propone otra sugerencia para desprender el jabón: funda una parte de cera de parafina y mézclela con tres partes de aceite para niños. Se consiguen mejores resultados cuando está caliente pero puede aplicarse cuando está fría como una pasta blanda. Asegúrese de que la capa es fina y lisa, si no puede estropear la suavidad del jabón.

El aceite vegetal líquido o en espray también se usa para desprender el jabón. No obstante, no lo recomiendo ya que incluso una capa fina tiende a hacer el jabón un poco grasiento y el aceite se estropeará con el tiempo, alterando la fragancia del jabón.

SUGERENCIAS PARA EL DESMOLDEO

- *Presione con suavidad.* Desprenda el jabón de los moldes de la bandeja presionando suavemente con los pulgares la parte trasera del molde. Puede dañar los moldes fácilmente si no tiene cuidado.
- *Espere.* Si deja que el jabón permanezca en el molde durante 12-24 horas después de enfriarse, saldrá mucho más fácilmente que si lo desmolda inmediatamente.
- *Pruebe con el congelador.* Si todavía le resulta difícil desprender el jabón del molde, pruebe a meterlo en el congelador durante 10 minutos e inténtelo de nuevo.

La técnica de fundido y vertido

SUGERENCIAS DE PREPARACIÓN

- Para calcular la cantidad de jabón necesario para llenar su molde, rellene el molde de agua y vierta el agua en la taza medidora.
- Funda siempre al menos 30 g de jabón adicional para compensar el jabón que se quedará en la taza medidora.
- Corte la base en trozos pequeños para que se derrita más rápido y fácilmente.
- Asegúrese de que todos los cuencos, tazas medidoras y cucharas están totalmente secos.
- Nunca añada agua a las bases.

1 Ponga el jabón en la taza medidora de cristal resistente al calor. Métala en el microondas por un tiempo de 30 segundos a 1 minuto por cada taza de trozos de jabón. El tiempo de fundición varía dependiendo de la cantidad y la clase de jabón. Es preferible derretir el jabón a intervalos de tiempo cortos para evitar que éste hierva.

2 Sáquelo del microondas y remuévalo suavemente hasta que esté completamente fundido. No deje la cuchara dentro del jabón cuando se esté calentando en el microondas o derritiendo en el hornillo.
Opción de fundición: También puede fundir el jabón al baño María o en un hornillo. Ajuste el calor de modo que mantenga el jabón en estado líquido de forma constante. No deje que el jabón se caliente durante más de 10 minutos.

3 Añada inmediatamente los aditivos o colorantes al jabón fundido y remueva suavemente para mezclarlo. Si el jabón empieza a solidificarse, caliéntelo de nuevo y vuelva a fundirlo.

4 Añada las gotas de aceite de fragancia hasta conseguir el aroma deseado.

5 Vierta el jabón en el molde inmediatamente después de añadir la fragancia.

6 Deje que el jabón se funda y solidifique completamente antes de sacarlo del molde. El jabón saldrá fácilmente cuando esté asentado. Para acelerar el proceso, deje que el jabón se enfríe en el refrigerador.

SUGERENCIAS

- Es totalmente seguro refundir el jabón. Si funde más base de la que cabe en el molde, vierta el sobrante en un molde adicional o en un recipiente de plástico, deje que se enfríe, sáquelo y fúndalo cuando vuelva a elaborar jabón (por eso es siempre una buena idea disponer de un molde extra).

- Si funde repetidas veces base de glicerina transparente, ésta se volverá más transparente ya que el exceso de humedad se evapora. Si esto se hace con base de aceite de coco, el resultado es un jabón más duro.

- Cuando lave los utensilios, no ponga las tazas medidoras ni las cucharas en el lavavajillas. La base para jabones está pensada para hacer burbujas y el jabón que permanece en los utensilios puede hacer espuma y provocar fugas. Remánguese y lave su equipo a mano.

- Experimentar y equivocarse es la mejor forma de aprender el proceso.

La técnica de molido a mano

Adaptar las recetas para elaborar jabones molidos a mano

La elaboración de jabones molidos a mano es un proceso diferente a la técnica de fundido y vertido. Se comienza rallando una pastilla de jabón prefabricada; se derrite con agua y se añaden aditivos, fragancias y aceites para incrementar la calidad del jabón. Los jabones elaborados con esta técnica, por lo general, tardan entre 2 y 4 semanas en estar listos para su uso, mientras que los jabones hechos mediante la técnica de fundido y vertido puede usarse inmediatamente. A diferencia de estos últimos a los que no se añade agua ni ingredientes frescos, los molidos a mano aceptan ingredientes frescos conservados para conseguir resultados únicos. Por ejemplo, zumo de zanahoria, pepino,

Comparación de la técnica de fundido y vertido y la técnica de molido a mano:

MOLIDO A MANO			
Base para jabones	**Método**	**Secado**	**Moldeo**
Se comienza con una pastilla de jabón prefabricado, a ser posible jabón de base vegetal hecho con el método de procesado en frío. También puede utilizar pastillas de jabón de buena calidad compradas, lo que resulta más económico.	El jabón se ralla y derrite con agua al baño María en un hornillo. También puede usarse un tipo de olla especial de cocción lenta. Se añaden ingredientes frescos como aditivos conservados, aceites, fragancias, plantas secas y colorantes.	El jabón a veces necesita hasta 4 semanas para estar listo, aunque en la mayoría de los casos son 2 semanas. Los jabones hechos con la técnica de molido a mano se pueden empaquetar sin envoltorio en un plástico. Las pastillas se solidifican mejor cuanto más tiempo de secado tengan.	Utilice moldes con formas simples y relieves decorativos grandes. La técnica de molido a mano es mi preferida para crear bolas naturales moldeadas a mano. Este método presenta ciertas limitaciones en cuanto a técnica, pero es excelente para elaborar pastillas de jabón de apariencia natural.

FUNDIDO Y VERTIDO			
Base para jabones	**Método**	**Secado**	**Moldeo**
Las bases están especialmente pensadas para fundirse fácilmente en el microondas. Hay una gran variedad de tipos diferentes, incluyendo glicerina transparente y aceite de coco blanco, y con ingredientes añadidos como aceite de oliva, leche de cabra y aceite de cáñamo. Este método es más caro que el de molido a mano, pero el tiempo que se tarda en elaborar el jabón es mucho menor.	La base se corta en pequeños trozos para que se funda rápidamente en el microondas. No se añade agua ni ingredientes naturales a la base. Las fragancias, aceites, aditivos y colorantes pueden añadirse para crear las pastillas de jabón. Con supervisión de adultos, los niños pueden utilizar esta técnica.	El jabón está listo para su empleo tan pronto como se saca del molde. Dado su alto grado de humedad, se conserva en plástico para mantenerlo fresco. Es mejor usar el jabón a los tres meses de hacerlo ya que la fragancia se disipa y los colores se pierden.	Se pueden elaborar numerosas técnicas decorativas y de diseño con este método. El jabón de glicerina transparente permite realizar incrustaciones y añadir estupendos aditivos como brillantina. Los nuevos jabones de molde de tubo son ideales para crear jabones de diseño rápida y fácilmente, y los moldes de bandeja pueden tener una gran variedad de detalles con este método.

aguacates, plátanos o fresas. Muchas de las recetas "naturales" de este libro pueden adaptarse al proceso de molido a mano si se siguen las instrucciones y consejos que se detallan a continuación:

- Utilice los preparados de fragancias, los aditivos y los colorantes de las recetas para adaptar al proceso de molido a mano.
- Recuerde que con el método de molido a mano no se elaboran pastillas translúcidas como con bases de fundido y vertido de glicerina transparente.
- Muchos de los tratamientos decorativos como los jabones en trozos, los jabones de molde de tubo y algunas técnicas de jabón incrustado no son adecuadas para elaborar jabones molidos a mano.
- Por cada 30 g derretidos de base de fundido y vertido, sustituya 30 g de jabón fundido en el proceso de molido a mano. Un poco de más o de menos no afectará al resultado final.
- Los moldes deben tener formas simples en lugar de diseños demasiado complejos. Aplique un producto para desprender el jabón, como gelatina de petróleo (vaselina).
- Añada el doble de fragancia de la deseada puesto que algunas fragancias se disipan durante el proceso.
- Mantenga la misma cantidad de plantas y aceites añadidos como se explica en las recetas cuando se adapte a la técnica de molido a mano.
- Lo mismo se aplica a los colorantes.
- Los aditivos, colorantes y fragancias se añaden después de fundir el jabón y justo antes de verterlo en el molde.

Instrucciones generales para la elaboración de jabones con la técnica de fundido y vertido

1. Ralle hasta que esté listo 2 tazas de jabón de base vegetal.
2. Coloque el jabón rallado en un cuenco medidor de cristal resistente al calor.
3. Añada el aceite que se indique en la receta y un tercio de taza de agua.
4. Coloque el cuenco medidor en agua caliente en un hornillo. Funda el jabón removiéndolo con suavidad hasta que empiece a estar "fibroso".
5. Quite el jabón fundido del fuego y añada los ingredientes adicionales. Remueva la mezcla.
6. Viértalo en el molde preparado.

PRECAUCIONES

- Tenga cuidado cuando manipule jabón fundido. Está muy caliente y puede provocar quemaduras si se vierte. Las bases de fundido y vertido derretidas están especialmente calientes (hasta 87 °C). Si vierte jabón fundido sobre su piel, moje la zona afectada con agua fría inmediatamente. Si la base se calienta en exceso en el microondas puede dar lugar a que cueza, rebose y se derrame en sus manos. Caliente el jabón a intervalos cortos para evitar que se sobrecaliente. Mantenga el jabón fundido lejos del alcance de los niños.
- El jabón o el aceite derramado pueden hacer que el suelo se vuelva muy resbaladizo y provocar caídas peligrosas. Si derrama accidentalmente jabón o aceite, límpielo enseguida. El jabón solidificará rápidamente, de modo que tendrá que raspar y aclarar la zona.
- Etiquete claramente todos los utensilios para fragancias porosos, como cucharas de madera o moldes de plástico de modo que no se empleen nunca para preparar alimentos. Los utensilios de cristal sí pueden reutilizarse con los alimentos, ya que no retienen aromas ni residuos.
- Etiquete claramente sus productos terminados describiendo el contenido y las instrucciones de uso. Algunos jabones huelen y parecen tan deliciosos que pueden confundirse con comida.

Técnicas para diseñar

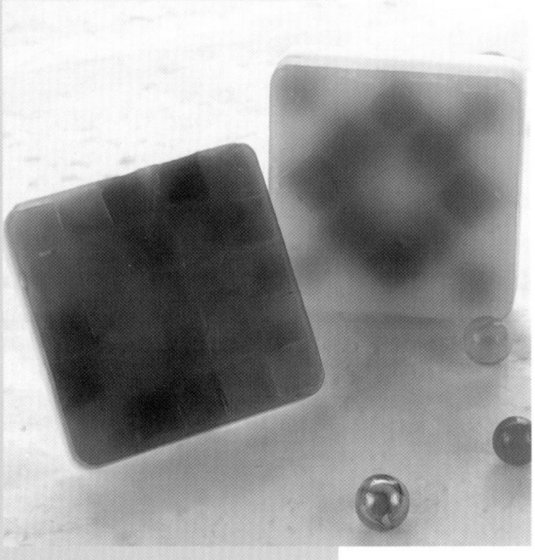

Jabones en trozos

Este método de moldeado permite suspender trozos de jabón de colores en un bloque de mayor tamaño. Las piezas añadidas (jabón 1) pueden moldearse, fragmentarse en largas volutas, cortarse en trozos o rallarse antes de añadirse al molde y mezclarse con el jabón (2). Es conveniente enfriar los trozos que se añaden en el frigorífico durante 10 minutos antes de verter el jabón caliente para evitar que los trozos se fundan. Algunos ejemplos de estos jabones son la receta 49, "Cardamomo de té verde"; la receta 84, "Mosaico bizantino" y, la receta 289, "Barra de arco iris".

Conseguirá mejores jabones de este estilo si todos los trozos tienen la misma clase de base. Si añade trozos de aceite de coco a jabón de glicerina, por ejemplo, la pastilla resultante se estropeará ya que las dos bases tienen tiempos de secado diferentes.

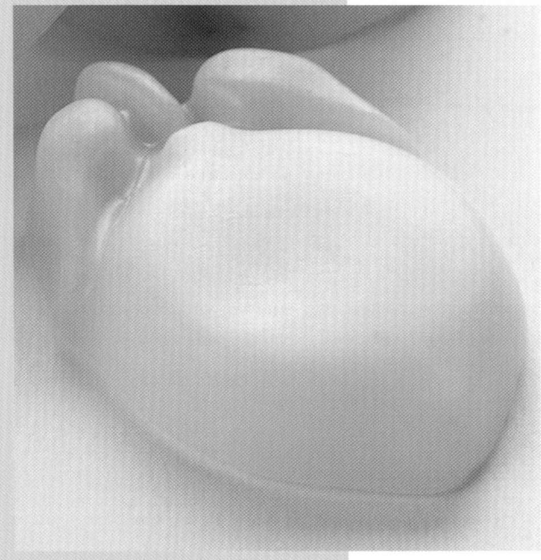

Jabones con áreas de color definidas

Puede crear jabones de colores moldeando diferentes colores y tipos de jabón dos veces. Por ejemplo, para elaborar jabones ajedrezados, primero moldee el jabón de un color (jabón 1), corte el jabón en trozos y coloque los cuadrados en el molde componiendo un diseño de tablero de ajedrez. Enfríe el jabón en el refrigerador durante 10 minutos y vierta el segundo jabón de color (jabón 2). Este tipo se diferencia del estilo de trozos en que las piezas del jabón 1 se colocan siguiendo un patrón específico o un motivo. Un ejemplo es la receta 140, "Ajedrezado Caprichoso".

Otro ejemplo de esta técnica es la receta 58, "Limón de Verano", un limón amarillo de hojas verdes. Para hacerlo, vertí base de jabón amarillo en un molde con forma de limón. Tras desprender el jabón, recorté las hojas y coloqué los trozos de limón de nuevo en el molde. Después de enfriarlo, vertí base de jabón verde de modo que las hojas fueran de color verde.

Los moldes con un motivo en relieve a un lado pueden emplearse para crear una bonita pastilla con un motivo muy definido en sus colores. Vierta jabón 1 en la zona en relieve. Deje que solidifique y añada la base de jabón de un color que contraste en la parte superior. No suele ser necesario enfriar el molde antes de verter la segunda base. Algunos ejemplos de esta técnica son la receta 81, "Egeo", y la 89, "Nudo en el corazón celta".

Para obtener una combinación perfecta, utilice esta técnica de "Verter y raspar": Vierta el jabón 1 en la zona en relieve. Deje que endurezca un poco, tome un trozo de plástico duro (una tarjeta bancaria que ya no use) y raspe el jabón que haya rebosado fuera de esa zona. Después, vierta el jabón 2. Algunos ejemplos son la receta 229, "Tranquilidad", y la receta 218, "Sueños".

Jabones amarmolados

Puede crear bonitos jabones amarmolados vertiendo al mismo tiempo bases de glicerina transparente y blanqueada en un molde y dejándolas que se "enrosquen" suavemente. Derrita los diferentes jabones a la vez y, para conseguir los mejores resultados, remueva el jabón y deje que se enfríe y espese un poco antes de verterlo. Puede colorearlo si lo desea.

También puede utilizar la misma técnica para verter dos colores de base de jabón de aceite de coco. No vierta base de aceite de coco blanco con base de glicerina transparente para crear un efecto amarmolado, ya que terminarán separándose al tener diferentes densidades. Algunos ejemplos de este tipo de jabones son la receta 259, "Caparazones de mar Amarmolado", y la receta 262, "Pescado azul de lena".

Jabones con capas

Capas con la misma base: Los mejores jabones con capas se elaboran con diferentes colores de la misma base. Simplemente deje que las primeras capas se endurezcan antes de verter la siguiente capa. Asegúrese de que el jabón fundido está lo suficientemente caliente como para pegarse al jabón endurecido pero no tanto como para hacer que se derrita.

Capas con diferente base: Dado que la base de aceite de coco blanco y la base de glicerina transparente se separan debido a sus diferentes densidades, ambas bases pueden emplearse para crear jabones con capas. La base de glicerina se hunde, la de coco blanco sube a la superficie y se crea una capa mezclada en el medio. Algunos ejemplos de este tipo de jabones son la receta 255, "Cristal púrpura"; la receta 288, "Arlequín", y la receta 249, "Capas Sedimentarias".

SOBRE EL USO DEL ALCOHOL

Muchos libros (no el mío) recomiendan que se rocíen los trozos de jabón con alcohol cuando utilice la técnica de trozos o jabones con capas, ya que ello ayuda a que el jabón se adhiera. He probado esta técnica en muchas ocasiones y por experiencia sé que no funciona. Los trozos de jabón no se desprenden de los jabones terminados y duran más cuando no he utilizado alcohol (con una excepción: cuando una base contiene alcohol extra, esta técnica funciona hasta cierto punto pero también añade propiedades secantes, lo que no es apropiado). Nunca rocío con alcohol la superficie del jabón para eliminar las burbujas. Prefiero esperar a que se forme la corteza y eliminarla con un cuchillo. También puede recortar las burbujas que se forman en el jabón endurecido si aplana el jabón con un biselador para jabones.

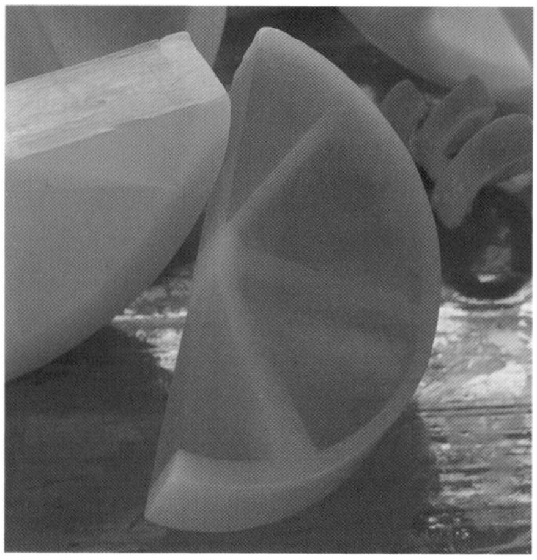

Jabones de molde de tubo

Los moldes tubulares de estilo hogaza tienen diferentes diseños y tamaños. Los moldes pequeños, medianos y grandes ofrecen infinitas posibilidades. La técnica básica consiste en colocar pequeñas columnas de jabón en moldes de tubo más grandes para crear una variedad de diseños que permanezcan hasta que se acabe el jabón. Las columnas más pequeñas se moldean primero en un molde de tubo inferior, se desprende y después se coloca en los moldes más grandes. Los moldes de tubo también pueden usarse solos, sin poner las columnas dentro. Los diseños pueden ser simples, como una estrella pequeña en otra más grande, o de mayor complejidad. Algunos ejemplos de este tipo de jabones son la receta 22, "Menta de pepino", y la receta 133, "Gajo de naranja".

Con las recetas de este libro se crean dos o tres pastillas, lo que es una buena forma de aprender la técnica antes de hacer cantidades más grandes que llenan los moldes completamente. Una ventaja de utilizar el molde de tubo vertical es que, a diferencia del horizontal, le permite verter 1, 5 u 8 g de jabón en el molde en lugar de tener que rellenar el molde entero. Es una forma perfecta de utilizar trocitos de jabón y crear pequeñas cantidades.

Consejos útiles para elaborar jabones de molde de tubo

• **Utilizar base de glicerina transparente.** He descubierto que es la mejor para este tipo de jabones ya que éstos no se estropean cuando los usa. Las recetas de molde de tubo de este libro utilizan base de glicerina transparente para todos los moldes. Para conseguir una tonalidad blanca u opaca, añada colorante blanco a la base.

• **Utilizar un producto para desprender el jabón.** Cubra los moldes de tubo (tanto de plástico como de metal) con una capa fina de gelatina de petróleo en el interior para ayudar a que el jabón se desprenda.

• **Preparar el molde.** Debe preparar el molde de tubo cada vez que lo utilice. De otro modo (incluso si tiene un tapón en el fondo) dará lugar a fugas. Se hace así:

1. Se cubre el fondo del molde con cuatro capas de envoltorio de plástico. Asegúrelo con una goma.
2. Se vierte 1 cm de base fundida en el molde para taponar el fondo. Deje que solidifique y vierta jabón en el molde.

SUGERENCIA: Coloque el molde preparado en un recipiente pequeño de plástico. Así, si el molde no tiene fugas, el jabón se mantendrá seguro y podrá fundirse de nuevo fácilmente. También podrá mover el molde después de verter el jabón.

• **Elaborar pequeños lunares en el diseño del jabón:**

1. Preparar el molde y dejar que el jabón del fondo se endurezca.
2. Introducir tiras de plástico en el tapón.
3. Verter la base de jabón en el molde alrededor de las tiras. Dejar que solidifique por completo.
4. Sacar las tiras sin despegar el jabón. Verter el color deseado del jabón fundido en los agujeros. Dejar que se endurezca y proceder.

• **Colocar palillos:** Cuando se utilizan trozos pequeños de jabón en moldes de tubo largos, un par de palillos resultan útiles para sacar y colocar los trozos. No se preocupe porque la colocación sea perfecta, las formas de los jabones son caprichosas.

• **Trucos para las áreas de color:** Cuando vierta el jabón 2 dentro y alrededor de los trozos de jabón más pequeños, remueva el jabón 2 después de derretirse para enfriarlo un poco antes de verterlo en el molde. También puede poner los trozos de jabón 1 en el refrigerador durante 10 minutos antes de pasarlos al molde. Cuanto más pequeñas sean las columnas de jabón que se coloquen en el molde grande, mejor se fundirán los trozos.

Sacar los jabones de los moldes de tubo
Deje que el jabón se enfríe y endurezca completamente antes de intentar extraerlo del molde. El tiempo de solidificación varía dependiendo del tamaño del molde y la cantidad de base.

1. Saque el envoltorio de plástico del fondo.
2. Coloque una servilleta de papel arrugada dentro del molde (esto evita que el jabón se dañe) y extraiga el jabón.

CONSEJOS

Para el desmolde

- Utilice un molde de tubo más pequeño para extraer el jabón de un molde de tubo más largo.
- Con moldes pequeños (los más complicados para sacar el jabón), coloque una servilleta de papel arrugada o una moneda en el jabón y use una clavija de madera o un lápiz sin punta para sacar el jabón endurecido.
- **Nunca** use cuchillos, tenedores u otros utensilios afilados para extraer el jabón, podría lastimarse usted o dañar el jabón.
- Si el jabón no sale, meta el molde de tubo en el congelador durante 10 minutos. El jabón saldrá con facilidad.

Para el pulido

- Use un cuchillo largo para cortar el tubo de jabón en pastillas. Los jabones creados en moldes más pequeños pueden cortarse 1 cm de ancho; los hechos en moldes medianos o largos pueden cortarse a 2 o 2,5 cm.
- Los moldes de tubo circular o rectangular pueden cortarse a la mitad para crear medio círculo o pastillas rectangulares más pequeñas.

Cuentas de jabón

Los moldes de tubo más pequeños se recomiendan para elaborar cuentas de jabón de las recetas "Borlas de Jabón". Simplemente vierta la base de jabón coloreado de fragancias en el molde preparado. Deje que se asiente y sáquelo. Corte las tiras a 2,5 cm de ancho. Ponga un lazo de satén rosa en el ojo de una aguja de zurcir y engarce las "cuentas".

Formas montadas

Para elaborar jabones con formas montadas se utilizan láminas de jabón. Algunos ejemplos son la receta 149, "Estrellas", y la receta 150, "Flores".

Las láminas de jabón son perfectas para los niños ya que no se trata de jabón fundido del que pueda preocuparse. Pueden comprarse o hacer las suyas propias. Ésta es la forma:

1. Recubra láminas de galleta con papel de cera.
2. Prepare la base y vierta una pequeña cantidad en las láminas. Se cubrirán (quiere que el jabón sea 0,65 cm de ancho). Deje que se enfríe totalmente.

Puede cortar las láminas con un cuchillo para galletas. Para que las formas recortables se adhieran, utilice un secador de modo que la superficie del recortable de la lámina se funda antes de colocar otro recortable encima. *Opción:* Funda un poco de base de glicerina. Vierta una pequeña cantidad encima del recortable y ponga el segundo trozo encima. El jabón fundido "pega" los trozos.

Jabones con incrustaciones

Los jabones con incrustaciones tienen un objeto, como un juguete, una esponja o un refrán en un trozo de papel laminado, que se denomina "incrustación", colocado dentro del molde. La base de jabón se vierte alrededor de la incrustación.

• **Jabones con esponjas incrustadas:** Las esponjas de luffa se pueden añadir para que floten en el jabón recién fundido (receta 208, "Terapia spa") o se colocan en el molde antes de añadir el jabón (receta 141, "Círculos de luffa natural"). Las esponjas han de estar secas antes de añadir el jabón.

• **Jabones con juguetes incrustados:** Son divertidos y de formas simpáticas. Yo uso una primera capa de jabón de glicerina transparente (para que el juguete pueda verse) y una segunda capa de jabón de glicerina blanqueada que contraste con el color del juguete. Algunos ejemplos son la receta 153, "Tesoro con cara feliz", y la 157 "Dino en un dino". También se puede añadir brillantina a la segunda capa.

Elija juguetes seguros, suaves, nada que sea afilado o tenga aristas.

PRECAUCIÓN: Los jabones con juguetes pequeños no deben dejarse en manos de niños menores de tres años.

He elaborado muchos jabones con juguetes incrustados. Ésta es mi técnica favorita.

1. Vierta un poco de jabón de glicerina fundido en el molde. Espere hasta que se forme una corteza en la superficie. Quite con cuidado la corteza con la punta de un cuchillo (esto elimina cualquier burbuja o espuma de la superficie).
2. Mientras el jabón todavía está líquido, añada el juguete boca abajo en el molde. Deje que se endurezca.
3. Vierta más jabón fundido hasta llenar el molde.

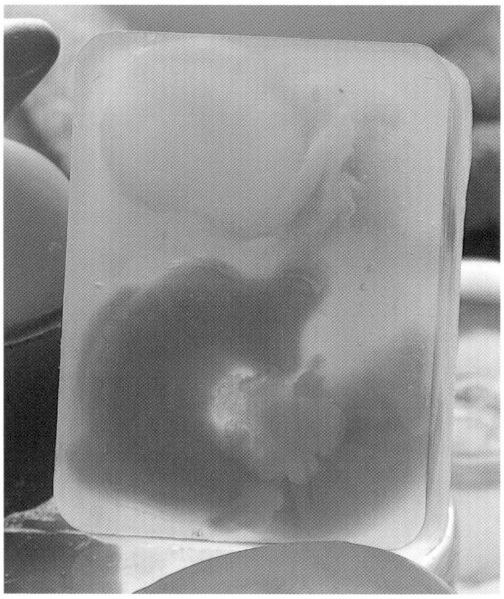

Jabones de jabón

Puede moldear pequeños jabones e incrustarlos en una pastilla de jabón transparente para elaborar un jabón dentro de otro jabón. Algunos ejemplos son la receta 160, "Motivos del océano", y la receta 162, "Limón funky". Así se hacen:

1. Elabore los jabones pequeños. Deje que se enfríen y endurezcan, y después sáquelos de los moldes.
2. Enfríe los jabones pequeños en el frigorífico durante 10 minutos.
3. Siga las instrucciones para "jabones con juguetes incrustados".
4. Jabones de rizos y cubos también se pueden incrustar en la base de jabón. Simplemente, coloque los trozos de jabón en un molde y déjelos enfriar en el frigorífico antes de verter el jabón fundido sobre ellos en el molde. Un ejemplo es la receta 171, "Piel de pepino".

Jabones con relieves decorativos

En lugar de incrustar trozos de jabón, añádalos a la superficie de la pastilla. Derrita un poco de base de glicerina transparente y úsela como pegamento para adherir los trozos. Vea la receta 106, "Capullo de madreselva".

También puede añadir un relieve decorativo a una pastilla de jabón con una especia entera o un juguete (se despegará tras el primer uso). Un ejemplo es la receta 65, "Anís de hamamelis". Así se hace:

1. Haga un agujero pequeño en la superficie del jabón.
2. Derrita una pequeña cantidad de base de glicerina transparente. Viértala en el agujero.
3. Vierta la base fundida sobre toda la pastilla y el relieve.

Jabones en bolsa

Estos jabones se moldean en una bolsa de plástico que es el envoltorio para presentarlos. Algunos ejemplos son la receta 163, "Gelatinas", y la receta 166, "Corazones de caramelo". Se hacen así:

1. Llene una bolsa de plástico con los trozos de jabón.
2. Métalo en el congelador durante 10 minutos.
3. Coloque la bolsa fría de jabón en un molde de tubo de 8 cm (lo mantiene derecho).
4. Vierta base de jabón transparente y aromático en la bolsa. Asegúrese de que el aceite de fragancias no traspasa el color a la base. Deje que el jabón se asiente.
5. Ate un lazo y cierre la bolsa para su presentación. Para usarlo, simplemente desenvuélvalo.

Receta básica

Sales de baño de burbujas sólidas

1 taza de bicarbonato sódico
3/4 de una taza de ácido cítrico
1/4 de taza de mezclador
20 gotas de aceite de fragancia
5 gotas de colorante líquido

Instrucciones

1. Mezcle todos los ingredientes secos en un cuenco de cristal grande. Utilice las manos para deshacer los trozos.
2. Quite aproximadamente la mitad de una taza de los ingredientes secos mezclados, y póngalos en un cuenco pequeño.
3. Añada los aceites colorantes y de fragancias y mezcle todo bien.
4. Al principio, utilice una cuchara, después mezcle con sus manos para repartir bien los colores y fragancias.
5. Ponga la mezcla de colores que está en el cuenco pequeño en el grande. Mezcle. Espolvoree las sales con un poco de agua y mézclelo con sus manos. **Precaución: No añada** demasiada agua o las sales empezarán a burbujear. Continúe vaporizando suavemente y mezclando hasta que las sales se liguen.
6. Siga las recetas individuales para moldear las sales con las piezas de jabón.
7. Deje que se seque durante un día hasta que solidifique.

Jabones de burbujas

Los jabones de burbujas son jabones pequeños revestidos con sales de baño de burbujas sólidas. Cuando un jabón de burbujas se mete en la bañera, las sales comienzan a burbujear, aromatizando y suavizando el agua, y revelando el jabón que tiene un aroma similar. Algunos ejemplos son la receta 167, "Rosa inglesa", y la receta 168, "Trufa de bañera de chocolate".

Jabones con grabados

Puede utilizar juguetes de plástico, sellos de goma o sellos de jabón para crear grabados en sus jabones. Los juguetes de plástico, usados para los jabones de fósiles descritos a continuación, y los sellos de goma se colocan antes de moldear el jabón. Los sellos de jabón se colocan después de que el jabón esté moldeado y despegado.

Jabones de fósiles

Esta técnica es cortesía de Environmental Technologies y fue diseñada por mi gran amigo Jan Ryan-Moore. Estábamos haciendo jabón un día y, mientras experimentábamos con el proceso de grabado, descubrimos que los juguetes de plástico dejan una huella detallada en el jabón terminado. Fue Jan quien vio las posibilidades de esto y dijo: "Ya puedes hablar de mí en tu próximo libro". Un ejemplo es la receta 69, "Jabón de fósil de pez". Así se hace:

1. Cubra un molde con papel de aluminio (esto le da una apariencia de piedra natural al jabón).
2. Pegue un jabón boca abajo en el fondo del molde con un adhesivo (si no se pega, flotará en la superficie).
3. Vierta la base derretida, deje que se endurezca y sáquela. Si el juguete se pega al jabón, use un cuchillo con cuidado para sacarlo.

Jabones con grabados de sellos de goma

También puede emplear un sello de goma claramente impreso (sin la base) para grabar el jabón. Algunos ejemplos son la receta 90, "Celta", y la receta 235, "Grabado clásico". Éste es el proceso:

1. Saque con cuidado el sello de la base de madera. **Truco:** Introduzca el sello en el microondas durante 20 segundos.
2. Pegue el sello boca arriba en el fondo de un molde con un adhesivo (no dañará al molde ni al sello).
3. Vierta el jabón en el molde y deje que se asiente.
4. Saque el jabón del molde (el sello normalmente sale con el jabón).
5. Use un alfiler para sacar con cuidado el sello del jabón.

Jabones estampados

Puede adquirir sellos bonitos especialmente diseñados para grabar en relieve jabones. Utilizar un sello para grabado es más rápido que usar sellos de goma para grabar si piensa elaborar más de un jabón. Un ejemplo es la receta 237, "Pera grabada". Así se hace:

1. Moldee el jabón y sáquelo del molde.
2. Ponga enseguida el jabón en una superficie plana y dura. Coloque el sello sobre el jabón e incrústelo con la ayuda de un martillo para grabar el relieve.

Jabones pintados

Pintar es una forma maravillosa de personalizar y añadir sus propios diseños al jabón. Utilice siempre pinturas especialmente pensadas para trabajar de forma segura con jabones. Algunas vienen en colores o como compuesto transparente para mezclarse con acrílicos. Use la pintura de colores directamente del bote, no la mezcle con agua. Si usa el compuesto, mézclelo con la misma cantidad de acrílico. Emplee un pincel, una esponja o un palillo para aplicar la pintura. Lávelos con agua y jabón. A continuación se exponen algunas ideas para pintar los jabones:

• *Pintura de puntitos:* Diseñe sus jabones con simples puntitos aplicados con un palillo. Use los puntitos para destacar un diseño estarcido (receta 73, "Espíritu australiano") o para los diseños florales (receta 179, "Rosa de puntitos").

• **Estarcido:** Use un patrón para aplicar relieves a sus jabones. Emplee una cantidad de pintura muy pequeña para estarcir. Quite el exceso de pintura del pincel con una servilleta de papel antes de aplicarla. *SUGERENCIA:* Si la pintura se filtra debajo del patrón, es que está usando demasiada pintura. Si es así, simplemente limpie el pincel con una servilleta y comience de nuevo. Algunos ejemplos de esta técnica son la receta 72, "Ritual de la Edad de Piedra", y la receta 79, "Almizcle egipcio".

• **Pincelada seca:** También puede aplicar pintura para jabones empleando la técnica de la pincelada seca. Simplemente elimine el exceso de pintura de su pincel con una servilleta antes de pintar el jabón. Algunos ejemplos son la receta 88, "Ángel de Rafael", y la receta 114, "Corazón de arte folk".

• **Relieves y detalles:** Puede destacar la zona en relieve de un jabón grabado o estampado mediante la técnica de la pincelada seca con pintura de jabón o aplicando una pequeña cantidad de polvos de brillantina dorada. Un ejemplo es la receta 62, "Especia de mandarina".

Jabones esculpidos y tallados

Esculpir jabones es una forma sencilla y divertida de decorar con relieves una pastilla de jabón. Use un cuchillo pequeño y afilado sin bordes de sierra para esculpir un diseño o tallar el jabón. Recortar las aristas con un biselador para jabones es otra técnica que da al jabón un aspecto profesional. Algunos ejemplos son la receta 103, "Beso"; la receta 183, "Jabón tallado sobre una cuerda", y la 239, "Amatista".

También puede emplear un sacabolas u otro utensilio de cocina para cortar el jabón en trozos. Un ejemplo es la receta 191, "Puntos funky".

Jabones con recortes de papel

Esta técnica consiste en adornar jabones con papel cortado de dibujos o servilletas de papel y un compuesto transparente de jabón. Un ejemplo es la receta 80, "Vestigio antiguo". Se hace así:

1. Corte el dibujo de papel.
2. Aplique una capa del compuesto al jabón.
3. Añada el diseño de papel.
4. Aplique una segunda capa de compuesto sobre el recorte.
5. *Opcional:* El papel se despegará tras el primer uso del jabón. Para que dure tanto como éste, impregne el lado del jabón que se va a adornar en cera de parafina fundida.

Jabones con imágenes

Existen imágenes especialmente diseñadas para decorar los jabones, y no se despegan. Este tipo de imágenes quedan mejor en pastillas de jabón de un color suave o blanco. Un ejemplo es la receta 267, "Pastillas de invitado de Navidad". Se hace así:

1. Corte la imagen dejando un borde de 0,65 cm.
2. Ponga la imagen en agua templada durante 30 segundos.
3. Quite el agua y coloque la imagen sobre el jabón. Cuando todavía esté húmedo, ajuste la imagen con cuidado y elimine las arrugas y las burbujas de aire con la yema del dedo. Deje que el jabón y la imagen se sequen antes de usarlo.

Puede elaborar sus propias imágenes de jabón con papel de calcomanía. Coloree fotocopias de fotografías o cualquier otra imagen en papel de calcomanía y siga las instrucciones mencionadas antes para adherir la imagen al jabón. Un ejemplo es la receta 297, "Jabón de fotografía".

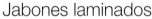

Jabones laminados

Otra técnica para decorar jabones con una imagen es laminar el diseño y colocarlo encima del jabón antes de empaquetarlo. El diseño laminado se puede quitar antes de usar el jabón (véase la receta 76, "Nativo de la costa oeste", y la receta 298, "Jabón de bodas").

Técnicas combinadas

Puede combinar las técnicas decorativas y de moldeo para conseguir posibilidades de diseño infinitas. Por ejemplo, la receta 96 "Yin/Yang" es un jabón en capas con relieves de cuño y pincelada seca con pintura dorada.

Las recetas

Aquí están las 300 recetas. Todas enumeran los materiales que se necesitan (bases, colorantes, fragancias, aditivos y moldes) y hacen referencia a la técnica usada.

Muchas de las recetas pueden duplicarse o triplicarse con facilidad y utilizarse con la técnica de molido a mano.

Evitar equivocaciones sobre los términos de la elaboración de jabones en las recetas

Algunos términos pueden resultar confusos y necesitar que se expliquen:

El aceite de coco es un tipo de base, un aceite de fragancias y un aditivo. Cuando hago referencia a la base para jabones, se menciona en la receta como "base de jabón de aceite de coco". Cuando me refiero al aceite de coco, un aceite blanco sin aroma, semisólido a temperatura ambiente y utilizado para añadir cualidades hidratantes al jabón, me refiero a él como "aditivo".

El aloe vera es tanto un aditivo como un aceite de fragancias. El gel de aloe vera, que puede añadirse a la base de jabón fundido por sus propiedades curativas, se menciona como "aditivo". La fragancia de aloe vera se menciona como "fragancia".

La mantequilla de cacao puede ser un aditivo y un aceite de fragancias. La mantequilla de cacao, el aditivo, es un aceite ámbar claro sin aroma, sólido a temperatura ambiente. Cuando se añade a la base, hace el jabón más duro y extra emoliente. La fragancia de mantequilla de cacao se menciona como "fragancia".

Cuando un ingrediente se menciona como "fragancia", es el *nombre de un aceite de fragancias,* no el elemento en sí. Algunos ejemplos son fragancias como el azúcar moreno, *bubblegum,* palo de caramelo, tierra, pepino y crema de mantequilla, por nombrar algunos.

Cuando un ingrediente se menciona como "colorante", es el *nombre de un colorante,* no el elemento real. Esto incluye los nombres de los colores como "tierra" y "café". Si se añadiera café molido real, por ejemplo, para obtener color, se mencionaría como "aditivo", no como "colorante".

SUGERENCIAS

Puntos importantes que hay que recordar:

- La cantidad de base para jabones fundidos en las recetas se indica en gramos.
- En muchas recetas, puede emplear una base diferente. Por ejemplo, una base de glicerina transparente se puede sustituir por base de glicerina con aceite de oliva añadido.
- La base de aceite de coco blanco es muy diferente a la base de glicerina; **no** deben mezclarse. No obstante, todos los jabones de glicerina se pueden mezclar sin dañar las cualidades de la pastilla de jabón terminada.

24

Aditivos naturales en jabones

Esta primera sección de recetas se centra en explicar cómo añadir los aditivos naturales a las bases de fundido y vertido. Algunos jabones no contienen colorante ya que los aditivos dan a las pastillas tonos naturales, distintivos. Los aditivos proporcionan cualidades nutritivas, purificantes e hidratantes a los jabones. Recuerde ceñirse a las cantidades enumeradas ya que demasiada cantidad puede reblandecer y estropear las pastillas.

Receta 1

Avena de camomila

Para dos barras de 115 g.

Base de fundido y vertido: 230 g de base de aceite de coco.

Fragancia: 10 gotas de camomila.

Colorante: 5 gotas amarillas.

Aditivos: 1 cucharada de flores de camomila seca, 1/2 cucharada de avena integral.

Moldes: molde rectangular para 115 g.

Véase la Técnica básica.

Receta 2

Canela de avena

Para dos barras de 115 g.

Base de fundido y vertido: 230 g de base de aceite de coco.

Fragancia: 15 gotas de canela.

Colorante: 2 gotas rojas.

Aditivos: 1/4 cucharada de canela en polvo, 1/2 cucharada de avena integral tostada mezclada con una cucharada de glicerina líquida.

Moldes: molde con forma de bóveda para 115 g.

Véase la Técnica básica.

Receta 3

Friega de romero de canela

Para dos barras de 85 g.

Base de fundido y vertido: 170 g de base de aceite de coco.

Fragancia: 10 gotas de canela, 5 gotas de romero.

Colorante: 3 gotas verdes.

Aditivos: 1/4 cucharada de harina de maíz, 1/4 cucharada de canela y 1/4 cucharada de romero integral seco mezclado con una cucharada de glicerina.

Moldes: molde ovalado para 85 g.

Véase la Técnica básica.

Receta 4

Harina de maíz de arándano

Para dos pedazos de 115 g.

Base de fundido y vertido: 230 g de base de glicerina transparente.

Fragancia: 10 gotas de arándano.

Aditivos: 1/4 cucharada de harina de maíz, 1/2 cucharada de arándanos secos cortados finos, 6 gotas de extracto de semillas de pomelo.

Moldes: molde de tubo de plástico redondo de 6,5 cm.

Véase "Jabones de molde de tubo" en la sección de Técnicas para diseñar.

1
4
2
3

Receta 5

Harina de avena avellanada

(Sin fotografía)

Para dos barras de 115 g.

Base de fundido y vertido: 230 g de base de aceite de coco.

Fragancia: 20 gotas de leche de almendras, 10 gotas de coco.

Aditivos: 1/2 cucharada de harina de avena tostada, 1/2 cucharada de coco molido.

Moldes: molde con forma de bóveda para 115 g.

Véase la Técnica básica.

Receta 6

Harina de avena frutal

(Sin fotografía)

Para dos pedazos de 115 g.

Base de fundido y vertido: 230 g de base de glicerina transparente.

Fragancia: 10 gotas de zarzamora, 10 gotas de albaricoque.

Aditivos: 1/2 cucharada de harina de avena.

Moldes: molde de tubo de plástico redondo de 6,5 cm.

Véase "Jabones de molde de tubo" en la sección de Técnicas para diseñar.

Receta 7

Confort de canela

(Sin fotografía)

Para dos pedazos de 115 g.

Base de fundido y vertido: 230 g de base de glicerina transparente.

Fragancia: 10 gotas de canela, 10 gotas de pera y 10 gotas de vainilla.

Colorante: 4 gotas de rojo, 2 gotas de negro para el sombreado.

Aditivos: 1/4 cucharada de canela en polvo, semillas raspadas de una pieza de 5 cm de un grano de vainilla mezcladas con 1 cucharada de glicerina líquida.

Moldes: molde con forma de bóveda para 115 g.

Véase la Técnica básica.

Receta 8

Jabón de cookies con trozos de chocolate

(Sin fotografía)

Para dos pedazos de 115 g.

Base de fundido y vertido: 230 g de base de glicerina transparente.

Fragancia: 10 gotas de canela, 20 gotas de azúcar moreno y 10 gotas de chocolate.

Colorante: una pizca de polvos de coco mezclado con 1 cucharada de glicerina líquida.

Aditivos: 2 cucharadas de mantequilla de coco.

Moldes: molde de tubo de plástico de 8 cm.

Véanse "Jabones de molde de tubo" y "Jabones en trozos" en la sección de Técnicas para diseñar.

Receta 9

Canela de manzana

Para dos pedazos de 85 g.

Base de fundido y vertido: 170 g de base de aceite de coco.

Fragancia: 15 gotas de manzana picante.

Colorante: una pizca de páprika.

Aditivos: 1/4 cucharada de canela en polvo mezclada con una cucharada de glicerina líquida.

Moldes: molde rectangular para 85 g.

Véase la Técnica básica.

Receta 10

Canela de naranja

Para dos pedazos de 70 g.

Base de fundido y vertido: 140 g de glicerina transparente.

Fragancia: 5 gotas de canela, 10 gotas de naranja.

Colorante: una pizca de turmérico.

Aditivos: 1/4 cucharada de canela en polvo mezclada con una cucharada de glicerina líquida.

Moldes: molde rectangular para 70 g.

Véase la Técnica básica.

Receta 11

Especia de canela

Para dos pastillas con forma de corazón.

Base de fundido y vertido: 140 g de glicerina transparente.

Fragancia: 10 gotas de especias mezcladas.

Colorante: 4 gotas de rojo.

Aditivos: 1/4 cucharada de canela, 1/8 cucharada de clavo y 1/4 cucharada de semillas de amapola mezcladas con 1 cucharada de glicerina líquida.

Moldes: molde de corazón para 85 g, molde de corazón para 55 g.

Véase la Técnica básica.

Receta 12

Canela de camomila

Para dos pastillas de 115 g.

Base de fundido y vertido: 230 g de base de glicerina blanqueada.

Fragancia: 15 gotas de camomila, 5 gotas de canela.

Aditivos: 1/4 cucharada de canela, 1/4 cucharada de flores de camomila secas mezcladas con 1 cucharada de glicerina líquida.

Moldes: molde rectangular para 115 g.

Otros materiales: imagen de niña con flores.

Véase "Jabones con imágenes" en la sección de Técnicas para diseñar.

Receta 13

Abeja

Para dos pastillas con forma de abeja.

Base de fundido y vertido: 260 g de base de glicerina transparente.

Fragancia: 15 gotas de miel.

Colorante: 4 gotas de naranja, 1 gota de azul (para crear el color ámbar).

Aditivos: 1/2 cucharada de polen de abeja, 1 cucharada de miel.

Moldes: molde de abeja para 130 g.

Véase la Técnica básica.

Receta 14

Miel de almendra

Para dos pastillas de 55 g.

Base de fundido y vertido: 115 g de base de aceite de coco.

Fragancia: 10 gotas de almendra, 10 gotas de camomila, 8 gotas de miel.

Colorante: 1 gota de azul, 3 gotas de naranja (para una tonalidad ámbar suave).

Aditivos: 1/2 cucharada de almendra molida.

Moldes: molde de panal de miel y abeja para 55 g.

Véase la Técnica básica.

13

Receta 15

Crema de miel

Para dos pastillas de 55 g.

Base de fundido y vertido: 115 g de base de glicerina con leche de cabra añadida.

Fragancia: 10 gotas de crema de vainilla, 5 gotas de miel.

Aditivos: 1 cucharada de miel y semillas de una pieza de 1 grano de vainilla.

Moldes: molde hexagonal para 55 g.

Véase la Técnica básica. Para sacar las semillas de la vaina del grano de vainilla, córtelo y raspe las pequeñas semillas negras.

Receta 16

Capullo de miel

Para tres pastillas de 2,5 de ancho.

Base de fundido y vertido: 230 g de base de glicerina blanqueada con aceite de coco añadido.

Fragancia: 5 gotas de coco, 10 gotas de miel.

Aditivos: 2 cucharadas de pétalos de caléndula seca.

Moldes: molde de tubo de plástico, 7,5 cm de flor.

Véase "Jabones de molde de tubo" en la sección de Técnicas para diseñar.

Receta 17

Miel afrutada

(Sin fotografía)

Para dos pastillas con forma de abeja.

Base de fundido y vertido: 260 g de base de glicerina transparente.

Fragancia: 10 gotas de papaya, 10 gotas de albaricoque, 5 gotas de miel.

Colorante: 4 gotas de amarillo.

Aditivos: 1 cucharada de miel, 1 cucharada de aceite de almendras dulce.

Moldes: molde de abeja para 130 g.

Véase la Técnica básica.

Receta 18

Oso de miel

(Sin fotografía)

Base de fundido y vertido: 230 g de base de glicerina blanqueada.

Fragancia: 5 gotas de miel, 10 gotas de crema de mantequilla y 10 gotas de pera.

Colorante: 5 gotas de naranja y 2 gotas de azul para la tonalidad ámbar.

Moldes: molde de osito para 115 g.

Véase la Técnica básica.

16
15
14

Receta 19
Menta de chocolate

(Sin fotografía)

Base de fundido y vertido: 230 g de base de aceite de coco.

Fragancia: 10 gotas de menta de chocolate, 10 gotas de coco.

Colorante: una pizca de polvos de cacao.

Aditivos: 2 cucharadas de mantequilla de cacao.

Moldes: molde con forma de bóveda para 115 g.

Véase la Técnica básica.

Receta 20
Menta refrescante

(Sin fotografía)

Para dos trozos de 115 g.

Base de fundido y vertido: 230 g de base de glicerina transparente.

Fragancia: 5 gotas de manzana verde, 5 gotas de lima, 10 gotas de hierbabuena.

Colorante: 5 gotas verdes.

Aditivos: 1 cucharada de glicerina líquida.

Moldes: molde de tubo de plástico redondo de 6,5 cm.

Véase "Jabones de molde de tubo" en la sección de Técnicas para diseñar.

Receta 21
Menta de mango

Para dos pastillas de 70 g.

Base de fundido y vertido: 140 g de base de glicerina con aceite de cáñamo añadido.

Fragancia: 15 gotas de mango, 5 gotas de menta.

Aditivos: 1/2 cucharada de menta seca.

Moldes: molde redondo para 70 g.

Véase la Técnica básica.

Receta 22
Menta de pepino

Para dos pastillas de 2,5 cm.

Base de fundido y vertido: 85 g de base de glicerina blanqueada, 85 g de base de glicerina transparente.

Fragancia: 20 gotas de pepino, 10 gotas de menta.

Colorante: 4 gotas verdes.

Moldes: molde de tubo redondo de 5 cm, molde de tubo redondo de 7 cm.

Otros materiales: 3 pajitas de plástico.

Véase "Jabones de molde de tubo" en la sección de Técnicas para diseñar y siga estas instrucciones:

1. Apriete con sus dedos índice y pulgar 3 pajitas de plástico para darles una forma ovalada y plana. Ponga las pajitas en la base de un molde redondo de 5 cm.
2. Funda 85 g de base de glicerina blanqueada. Añada 20 gotas de fragancia de pepino y vierta el jabón en un molde redondo de 5 cm alrededor de las pajitas. Deje que se asiente y saque el jabón.
3. Coloque la columna blanca de jabón en el molde preparado de 7 cm. Funda 85 g de base de glicerina transparente. Añada 10 gotas de aceite de fragancia de menta y 4 gotas de colorante verde.
4. Quite las pajitas. Vierta el jabón de glicerina verde alrededor de los bordes y agujeros creados por las pajitas. Deje que se asiente.
5. Sáquelo, recórtelo y pártalo en dos pastillas de 2,5 cm.

Receta 23
Menta de aloe vera

Para dos pastillas de 85 g.

Base de fundido y vertido: 170 g de base de glicerina de color aguamarina.

Fragancia: 20 gotas de menta.

Aditivos: 1 cucharada de gel de aloe vera, 1/2 cucharada de hojas de menta secas.

Moldes: molde ovalado para 85 g.

Véase la Técnica básica.

Receta 24
Estrellas de salvia de menta

Para tres pastillas con forma de estrella.

Base de fundido y vertido: 170 g de base de glicerina de color salvia opaco.

Fragancia: 10 gotas de menta, 5 gotas de salvia.

Aditivos: 1 cucharada de salvia seca.

Moldes: molde de estrella para 30 g, de estrella para 60 g y de estrella para 85 g.

Véase la Técnica básica.

Receta 25
Rosa oriental

Para dos pastillas de 60 g.

Base de fundido y vertido: 115 g de base de glicerina con leche de cabra añadida.

Fragancia: 10 gotas de preparado de especias, 10 gotas de rosa.

Aditivos: 1/4 cucharada de polvos de ginseng, jengibre y canela mezclado con una cucharada de glicerina líquida.

Moldes: molde redondo para 60 g.

Véase la Técnica básica.

Receta 26
Rosa de especias

Para dos pastillas de 85 g con forma de corazón.

Base de fundido y vertido: 170 g de base de glicerina de color cuarzo rosa.

Fragancia: 15 gotas de pétalos de rosa, 5 gotas de clavo.

Aditivos: 1/4 cucharada de jengibre en polvo y 1/4 cucharada de clavo en polvo mezclado con 1 cucharada de glicerina líquida.

Moldes: molde con relieve para 85 g.

Véase la Técnica básica.

Receta 27
Rosie O'Bar

Para dos pastillas con forma de rosa.

Base de fundido y vertido: 140 g de base de aceite de coco.

Fragancia: 20 gotas de rosa victoriana.

Colorante: 5 gotas rojas.

Aditivos: 1/4 cucharada de páprika.

Moldes: molde de rosa para 70 g.

Véase la Técnica básica.

Receta 28
Rosa ámbar

Para dos trozos ovalados de 2,5 cm.

Base de fundido y vertido: 300 g de base de glicerina transparente.

Fragancia: 10 gotas de romance ámbar, 10 gotas de rosa victoriana.

Colorante: 6 gotas de blanco, 2 gotas de rojo, 2 gotas de verde.

Aditivos: 1 cucharada de pétalos de rosa secos.

Moldes: molde de tubo de capullo de 4 cm; molde de tubo de corazón de 4 cm; molde de tubo ovalado de 8 cm.

Véase "Jabones de molde de tubo" en la sección de Técnicas para diseñar y siga estas instrucciones:

1. Funda 55 g de base de glicerina transparente, añada 3 gotas de colorante blanco y 2 gotas de colorante rojo. Vierta el jabón en un molde de tubo de capullo de 4 cm. Deje que se asiente y saque el jabón.
2. Vierta 55 g de base de glicerina transparente con 3 gotas de colorante blanco y 2 gotas de colorante verde en un molde de tubo de 4 cm de corazón. Deje que se asiente y saque el jabón.
3. Coloque la columna de jabón de capullo rosa en un molde de tubo ovalado de 8 cm. Corte la columna de jabón de corazón verde a la mitad para componer las hojas. Coloque la columna ovalada alrededor del capullo. Déjelo enfriar en el refrigerador.
4. Funda 170 g de base de glicerina transparente. Añada 10 gotas de fragancia de romance ámbar, 10 gotas de fragancia de rosa victoriana y una cucharada de pétalos de rosa seca. Viértalo en el molde ovalado alrededor de las columnas de jabón frías. Deje que el jabón se asiente, sáquelo, recórtelo y córtelo en dos trozos de 2,5 cm.

Receta 29
Rosa inglesa

(Sin fotografía)

Para dos pastillas de 115 g.

Base de fundido y vertido: 230 g de base de glicerina blanqueada con leche de cabra añadida.

Fragancia: 20 gotas de rosa inglesa, 10 gotas de romance.

Colorante: 4 gotas rojas.

Aditivos: 1 cucharada de pétalos de rosa de color rosa seca, una pizca de polvo iridiscente.

Moldes: molde de bóveda para 115 g.

Véase la Técnica básica.

Receta 30
Almizcle de rosa

(Sin fotografía)

Para dos pastillas de 115 g.

Base de fundido y vertido: 230 g de base de aceite de coco.

Fragancia: 20 gotas de rosa victoriana, 10 gotas de almizcle, 10 gotas de vainilla.

Colorante: 4 gotas rojas, 1 gota verde para obtener una tonalidad rosa palo.

Aditivos: semillas raspadas de una pieza de 2,5 cm de un grano de vainilla mezclado con 1 cucharada de glicerina líquida.

Moldes: molde rectangular para 115 g.

Véase la Técnica básica.

27
25
36
33
27

Receta 31

Especia de peras

(Sin fotografía)

Para dos pastillas de 115 g.

Base de fundido y vertido: 230 g de base de aceite de coco.

Fragancia: 20 gotas de peras mezcladas con coñac, 10 gotas de preparado de especias, 10 gotas de vainilla.

Aditivos: 1/4 cucharada de polvos de canela, 1/4 cucharada de clavo molido mezclado con una cucharada de glicerina líquida.

Moldes: molde rectangular para 115 g.

Véase la Técnica básica.

Receta 32

Especia de lavanda

(Sin fotografía)

Para dos pastillas de 115 g.

Base de fundido y vertido: 230 g de base de glicerina blanqueada.

Fragancia: 20 gotas de lavanda, 10 gotas de preparado de especias.

Colorante: 4 gotas rojo, 2 gotas azul para obtener una tonalidad azul delicada.

Moldes: molde rectangular para 115 g.

Véase la Técnica básica.

Aromas de los sentidos

Gran parte del atractivo de los jabones viene del aroma. Los jabones de esta sección huelen a gloria. Las siguientes cuatro recetas son estupendas para hombres.

Receta 33

Especia de almendras

Para dos pastillas de 85 g.

Base de fundido y vertido: 170 g de base de aceite de coco.

Fragancia: 10 gotas de almendra de miel, 5 gotas de clavo, 5 gotas de canela.

Aditivos: 1 cucharada de almendra molida, 1/2 cucharada de polvos de canela mezclados con 1 cucharada de glicerina líquida.

Moldes: molde ovalado para 85 g.

Véase la Técnica básica.

Receta 34

Especia de jengibre

Para dos pastillas de 70 g.

Base de fundido y vertido: 140 g de base de glicerina transparente.

Fragancia: 5 gotas de jengibre, 5 gotas de clavo, 10 gotas de canela, 10 gotas de mandarina.

Aditivos: 1/2 cucharada de jengibre en polvo mezclado con 1 cucharada de glicerina líquida.

Moldes: molde de flor de lis para 70 g.

Véase la Técnica básica.

Receta 35

Especia de lima

Los bordes están biselados.
Para dos pastillas.

Base de fundido y vertido: 170 g de base de glicerina transparente con aceite de oliva.

Fragancia: 10 gotas de lima, 5 gotas de preparado de especias.

Aditivos: 1/4 cucharada de canela en polvo mezclada con 1 cucharada de glicerina líquida.

Moldes: molde rectangular para 85 g.

Véase la Técnica básica.

Receta 36

Especia de almizcle

Para dos pastillas de 85 g.

Base de fundido y vertido: 170 g de base de glicerina blanqueada.

Fragancia: 10 gotas de malagueta (bay rum), 5 gotas de clavo, 8 gotas de almizcle.

Colorante: 10 gotas de café.

Aditivos: 1 cucharada de clavo molido mezclado con una cucharada de glicerina líquida.

Moldes: molde con forma de bóveda para 115 g, tres cuartas partes lleno.

Véase la Técnica básica.

Receta 37

Vainilla de avellana

Para dos pastillas de 85 g.

Base de fundido y vertido: 170 g de base de aceite de coco.

Fragancia: 5 gotas de avellana, 10 gotas de vainilla.

Aditivos: Las semillas de una pieza de 2,5 cm de un grano de vainilla, 1 cucharada de vainilla molida, 5 gotas de extracto de semillas de pomelo.

Moldes: molde redondo para 85 g.

Véase la Técnica básica. Para sacar las semillas de la vaina del grano de vainilla, córtelo y raspe las pequeñas semillas negras.

Receta 38

Almendra de vainilla

Para dos pastillas.

Base de fundido y vertido: 200 g de base de glicerina blanqueada con aceite de coco.

Fragancia: 8 gotas de leche de almendra, 8 gotas de vainilla.

Moldes: moldes rectangulares con relieves para 85 g y 115 g.

Véase la Técnica básica.

Receta 39

Crema de vainilla

Para dos pastillas pequeñas.

Base de fundido y vertido: 85 g de base de glicerina blanqueada con aceite de coco.

Fragancia: 10 gotas de crema de vainilla.

Aditivos: 1/2 cucharada de leche entera en polvo y semillas de una pieza de 1,3 cm de un grano de vainilla mezclado con una cucharada de glicerina líquida.

Moldes: 30 g, 60 g rectángulos.

Véase la Técnica básica. Para sacar las semillas de la vaina del grano de vainilla, córtelo y raspe las pequeñas semillas negras.

57
44
51

Receta 40

Especia de vainilla

(Sin fotografía)

Para dos pastillas de 115 g.

Base de fundido y vertido: 230 g de base de glicerina transparente con aceite de oliva.

Fragancia: 20 gotas de vainilla.

Aditivos: 1/4 cucharada de canela en polvo, 1/4 cucharada de jengibre en polvo, 1/4 cucharada de clavo en polvo mezclado con 1 cucharada de glicerina líquida.

Moldes: 115 g bóveda, tres cuartas partes lleno.

Véase la Técnica básica.

Receta 41

Vainilla de lavanda

(Sin fotografía)

Para dos pastillas de 115 g.

Base de fundido y vertido: 230 g de base de aceite de coco.

Fragancia: 10 gotas de lavanda, 10 gotas de vainilla, 5 gotas de jazmín.

Aditivos: 1 cápsula de Vitamina E, 1 cucharada de glicerina líquida, 8 cucharadas de polvos iridiscentes.

Moldes: 115 g bóveda, tres cuartas partes lleno.

Véase la Técnica básica.

Receta 42

Rosa de caramelo

Para cuatro pastillas pequeñas (15 g).

Base de fundido y vertido: 55 g de base de glicerina blanqueada.

Fragancia: 5 gotas de crema de vainilla, 5 gotas de rosa inglesa.

Colorante: 3 gotas de rosa.

Aditivos: 1/8 cucharadas de polvos nacarados.

Moldes: moldes de rosa pequeña.

Véase la Técnica básica.

Receta 43

Papaya de frambuesa

Para dos pastillas.

Base de fundido y vertido: 85 g de base de glicerina opaca de color de coral rojizo.

Fragancia: 10 gotas de papaya y 10 de frambuesa.

Aditivos: 1/2 cucharada de páprika.

Moldes: molde de caparazón para 15 g.

Véase la Técnica básica.

Receta 44

Sándalo de naranja

Los bordes están biselados.
Para dos pastillas.

Base de fundido y vertido: 170 g de base de glicerina transparente.

Fragancia: 10 gotas de naranja dulce, 8 gotas de sándalo.

Colorante: 5 gotas de naranja.

Aditivos: 1/2 cucharada de salvado de arroz.

Moldes: molde rectangular para 85 g.

Véase la Técnica básica.

Receta 45

Flores tropicales

(Sin fotografía)

Para dos pastillas de 115 g.

Base de fundido y vertido: 230 g de base de aceite de coco.

Fragancia: 10 gotas de mango, 15 gotas de naranja dulce, 10 gotas de lavanda.

Aditivos: 1/2 cucharada de gránulos de la piel de una naranja, 1/2 cucharada de coco rallado fino.

Moldes: molde rectangular para 115 g.

Véase la Técnica básica.

Receta 46

Capullo de frutas

(Sin fotografía)

Para dos pastillas de 115 g.

Base de fundido y vertido: 230 g de base de aceite de coco.

Fragancia: 10 gotas de melón, 10 gotas de papaya, 15 gotas de jazmín.

Colorante: 3 gotas de rojo.

Aditivos: 1 cucharada de mantequilla de cacao.

Moldes: molde con forma de bóveda para 115 g.

Véase la Técnica básica.

Receta 47

Menta de fresas

(Sin fotografía)

Para dos pastillas de 115 g.

Base de fundido y vertido: 115 g de base de glicerina blanqueada, 115 g de base de glicerina transparente.

Fragancia: 15 gotas de fresa, 10 gotas de menta verde.

Colorante: 2 gotas de rojo añadido al jabón blanco, 3 gotas de verde añadido al jabón transparente.

Moldes: molde rectangular para 115 g.

Véase "Jabones amarmolados" de la sección de Técnicas para diseñar.

Receta 48

Preparado de bayas

(Sin fotografía)

Para dos pastillas de 115 g.

Base de fundido y vertido: 230 g de base de glicerina blanqueada con leche de cabra añadida.

Fragancia: 10 gotas de leche de almendras, 10 gotas de vainilla, 10 gotas de fresa, 10 gotas de frambuesa.

Colorante: 4 gotas de rojo.

Moldes: molde rectangular para 115 g.

Véase la Técnica básica.

53
52
54
42

Receta 49

Cardamomo de té verde

(Sin fotografía)

Jabón con forma de rana que parece jade.

Base de fundido y vertido: 55 g de base de glicerina aceite de coco, 55 g de base de glicerina transparente.

Fragancia: 20 gotas de té verde.

Colorante: 6 gotas de verde.

Aditivos: 1/4 cucharada de cardamomo molido, 1/2 cucharada de té verde.

Moldes: molde rectangular para 85 g, molde de rana de goma para 115 g.

Véase "Jabones en trozos" de la sección de Técnicas para diseñar y siga estas instrucciones:

1. Añada 10 gotas de fragancia de té verde, 3 gotas de colorante verde, 1/4 cucharada de cardamomo molido y 1/2 cucharada de té verde a 55 g de base de aceite de coco fundida. Viértalo en un molde rectangular y deje que endurezca. Sáquelo y córtelo en cubos pequeños (1,3 cm).
2. Ponga los cubos en un molde de rana de 115 g. Añada las 10 gotas de aceite de fragancia de té verde y 3 gotas de colorante verde a 55 g de glicerina transparente derretida. Viértalo en el molde de rana. Sáquelo cuando se haya enfriado por completo.

Receta 50

Violeta naranja

Se pintaron violetas simples en las pastillas terminadas con pintura para jabones. Para dos pastillas.

Base de fundido y vertido: 170 g de base de glicerina blanqueada con leche de cabra añadida.

Fragancia: 10 gotas de naranja dulce, 10 gotas de violeta.

Colorante: 3 gotas de naranja.

Aditivos: 1/2 cucharada de gránulos de naranja.

Moldes: molde ovalado para 85 g.

Véase "Jabones pintados" de la sección de Técnicas para diseñar.

50

Receta 51

Sandía fresa brillante

Para una pastilla grande o dos trozos.

Base de fundido y vertido: 115 g de base de glicerina transparente.

Fragancia: 10 gotas de fresa, 10 gotas de sandía.

Colorante: 3 gotas de rojo.

Aditivos: una pizca de semillas de amapola, 1/8 cucharada de polvos iridiscentes.

Moldes: molde de tubo de plástico redondo, 5 cm de diámetro.

Véase "Jabones moldeados de tubo" de la sección de Técnicas para diseñar.

Receta 52

Naranja mango fresa

Para dos pastillas.

Base de fundido y vertido: 185 g de base de aceite de coco.

Fragancia: 10 gotas de fresa, 10 gotas de mango, 5 gotas de naranja dulce.

Colorante: 2 gotas de rojo, 3 gotas de naranja (para obtener una tonalidad de coral tenue).

Aditivos: 1/4 cucharada de gránulos de naranja.

Moldes: 93 g, corazón radiante.

Véase la Técnica básica.

Receta 53

Fresa pepino

Para dos pastillas.

Base de fundido y vertido: 170 g de base de aceite de coco.

Fragancia: 10 gotas de pepino, 8 gotas de fresa.

Colorante: 3 gotas de rojo, 1 gota de negro.

Aditivos: 1/2 cucharada de hoja de fresa seca.

Moldes: 85 g, rectángulo.

Véase la Técnica básica.

Receta 54

Crema de fresa

Para cinco pastillas pequeñas.

Base de fundido y vertido: 115 g de base de glicerina blanqueada con leche de cabra añadida.

Fragancia: 12 gotas de fresa.

Colorante: 1 gota de rojo.

Aditivos: 1/4 cucharada de leche de cabra en polvo mezclada con 1 cucharada de glicerina líquida.

Moldes: moldes con motivos de arte folclórico para 15 g y 30 g.

Véase la Técnica básica.

Receta 55

Limón lavanda

Para dos pastillas.

Base de fundido y vertido: 115 g de base de glicerina transparente.

Fragancia: 10 gotas de lavanda, 10 gotas de limón.

Colorante: 4 gotas de verde.

Moldes: molde redondo de fantasía para 55 g.

Véase la Técnica básica.

Receta 56
Friega de salvia de limón

Para dos pastillas.

Base de fundido y vertido: 115 g de base de aceite de coco.

Fragancia: 5 gotas de salvia, 10 gotas de limón.

Colorante: 3 gotas de amarillo, 1 gota de verde.

Aditivos: 1/2 cucharada de hojas de salvia secas, 1/2 cucharada de harina de maíz mezclada con 1 cucharada de glicerina líquida.

Moldes: molde redondo para 55 g.

Véase la Técnica básica.

Receta 57
Lima hierba limón

El jabón cuadrado se corta a la mitad diagonalmente para hacer pastillas con forma triangular. Los bordes se biselan.

Base de fundido y vertido: 140 g de glicerina con aceite de oliva.

Fragancia: 10 gotas de lima, 10 gotas de hierba limón.

Colorante: 3 gotas de verde.

Aditivos: 1/2 cucharada de hierba limón seca.

Moldes: molde cuadrado para 140 g.

Véase la Técnica básica.

Receta 58
Limón de verano

Para dos pastillas.

Base de fundido y vertido: 85 g de base de aceite de coco.

Fragancia: 5 gotas de limón, 5 gotas de menta.

Colorante: 3 gotas de amarillo, 1 gota de verde.

Moldes: molde con forma de limón para 45 g.

Véase "Jabones con áreas de color definidas" de la sección de Técnicas para diseñar.

Receta 59
Sueño cítrico

Para dos pastillas.

Base de fundido y vertido: 230 g de base de aceite de coco.

Fragancia: 5 gotas de limón, 5 gotas de lima, 5 gotas de pomelo rosa, 10 gotas de vainilla.

Colorante: 4 gotas de naranja.

Moldes: molde con forma de sol para 115 g.

Véase la Técnica básica.

Receta 60
Cáñamo naranja

Para dos pastillas.

Base de fundido y vertido: 230 g de base de glicerina con aceite de cáñamo.

Fragancia: 10 gotas de naranja dulce, 10 gotas de tierra.

Aditivos: 1/2 cucharada de hojas de eucalipto secas y trituradas.

Moldes: molde rectangular para 115 g.

Véase la Técnica básica.

Receta 61
Cítrico exótico

Para dos pastillas.

Base de fundido y vertido: 85 g de base de glicerina transparente.

Fragancia: 5 gotas de bergamota, 5 gotas de naranja tangerina, 5 gotas de mandarina.

Colorante: 5 gotas de naranja, 3 gotas de azul (para obtener una tonalidad ámbar oscuro).

Aditivos: 1 cucharada de hojas de bergamota trituradas, secas.

Moldes: molde de 45 g de pastilla redonda con adorno.

Véase la Técnica básica.

Receta 62
Especia de mandarina

Las zonas en relieve de las pastillas se acentúan con polvos dorados. Para tres pastillas.

Base de fundido y vertido: 115 g de base de glicerina blanqueada.

Fragancia: 10 gotas de mandarina, 8 gotas de preparado de especias.

Colorante: 5 gotas de naranja.

Aditivos: 1/2 cucharada de clavo en polvo mezclado con 1 cucharada de glicerina líquida.

Moldes: molde rectangular con adorno para 45 g.

Véase la Técnica básica.

Receta 63
Capullo de naranja

(Sin fotografía)

Para dos pastillas de 115 g.

Base de fundido y vertido: 230 g de base de glicerina transparente.

Fragancia: 20 gotas de naranja dulce, 10 gotas de sandía, 10 gotas de ylang-ylang.

Colorante: 4 gotas de naranja, 3 gotas de blanco para obtener la tonalidad anaranjada suave y translúcida.

Aditivos: una pizca de polvos de brillantina dorada.

Moldes: molde rectangular para 115 g.

Véase la Técnica básica.

Receta 64
Naranja entusiasta

(Sin fotografía)

Para dos pastillas.

Base de fundido y vertido: 230 g de base de glicerina transparente con aceite de cáñamo.

Fragancia: 20 gotas de naranja dulce, 10 gotas de naranja tangerina, 10 gotas de neroli.

Colorante: una pizca de polvos de turmérico.

Aditivos: una pizca de brillantina dorada.

Moldes: cualquier molde para 115 g.

Véase la Técnica básica.

68
62
59
66

Jabones curativos

Las cuatro recetas siguientes son jabones curativos. Los aditivos y aceites seleccionados son buenos para pieles secas e irritadas y ayudan a curar y desinfectar las pieles dañadas.

Receta 65

Anís de hamamelis

Para dos pastillas.

Base de fundido y vertido: 140 g de base de glicerina con aceite de cáñamo.

Fragancia: 10 gotas de anís.

Aditivos: una cucharada de extracto de hamamelis, 1 cucharada de hojas de hamamelis.

Moldes: molde redondo para 70 g.

Otros materiales: estrella para acentuar la pastilla.

Véase "Jabones con relieves decorativos" de la sección de Técnicas para diseñar.

Receta 66

Jabón de varicela

Esta es una receta de mi hermana Lisa Simpson. La hizo cuando sus hijos tenían la varicela para aliviar sus picores. Para dos pastillas.

Base de fundido y vertido: 115 g de base de aceite de coco.

Fragancia: 5 gotas de árbol del té, 10 gotas de *oenothera.*

Colorante: 3 gotas de rojo.

Aditivos: 2 cápsulas de vitamina E, 1/2 cucharada de harina de avena molida, 1 cucharada de aloe vera.

Moldes: molde con forma de león para 55 g.

Véase la Técnica básica.

Receta 67

Árbol del té de miel

Para dos pastillas.

Base de fundido y vertido: 85 g de base de glicerina con aceite de oliva.

Fragancia: 4 gotas de árbol del té, 6 gotas de miel.

Aditivos: 1 cucharada de miel.

Moldes: molde rectangular con motivos de hojas para 43 g.

Véase la Técnica básica.

Receta 68

Escaramujo rosa eucalipto

Para dos pastillas.

Base de fundido y vertido: 170 g de aceite de coco.

Fragancia: 20 gotas de eucalipto.

Colorante: 3 gotas de rosa china.

Aditivos: 1 cucharada de polvos de escaramujo mezclado con una cucharada de glicerina líquida.

Moldes: molde con forma de rosa, tres cuartas partes lleno para 100 g.

Véase la Técnica básica.

Jabones históricos

La siguiente sección de recetas le lleva a través de la historia de los jabones. Podemos imaginar cómo fue el descubrimiento del jabón. Parece que data del año 2000 a.C. Por aquel entonces, se empleaba como apósito para heridas, sus propiedades purificantes todavía no se conocían.

Receta 69

Fósil de pez

Un pez de juguete de plástico colocado en el fondo del molde crea el fósil. Una pastilla.

Base de fundido y vertido: 85 g de aceite de coco.

Fragancia: 10 gotas de ámbar.

Colorante: 5 gotas de café.

Aditivos: 1 cucharada de germen de trigo y 1/2 cucharada de canela mezclada con 1 cucharada de glicerina líquida.

Moldes: molde rectangular cubierto de papel de aluminio para 85 g.

Otros materiales: pez de plástico.

Véase "Jabones de fósiles" de la sección de Técnicas para diseñar.

Receta 70

Fósil de ciempiés

Un ciempiés de juguete de plástico colocado en el fondo del molde crea el fósil. Una pastilla.

Base de fundido y vertido: 140 g de aceite de coco.

Fragancia: 10 gotas de chocolate.

Colorante: 5 gotas de arena.

Aditivos: 1 cucharada de semillas de amapola.

Moldes: molde rectangular cubierto de papel de aluminio para 140 g.

Otros materiales: ciempiés de plástico, papel de aluminio.

Véase "Jabones de fósiles" de la sección de Técnicas para diseñar.

Receta 71

Fósil de escarabajo

Un escarabajo de juguete de plástico colocado en el fondo del molde crea el fósil. Una pastilla.

Base de fundido y vertido: 115 g de aceite de coco.

Fragancia: 10 gotas de mantequilla de cacao.

Colorante: 4 gotas de negro.

Aditivos: 1/2 cucharada de semillas de amapola.

Moldes: molde rectangular cubierto de papel de aluminio para 115 g.

Otros materiales: escarabajo de plástico, papel de aluminio.

Véase "Jabones de fósiles" de la sección de Técnicas para diseñar.

60
67
61
65
61

69
72
70
71

Receta 72

Ritual de la edad de piedra

Para una pastilla.

Base de fundido y vertido: 115 g de aceite de coco.

Fragancia: 10 gotas de tierra.

Colorante: 5 gotas de arena.

Aditivos: 1/2 cucharada de hojas de bergamota seca.

Moldes: molde rectangular para 115 g cubierto de papel de aluminio.

Otros materiales: plantilla con motivos de personas prehistóricas, pintura para jabones.

Véase "Jabones pintados" de la sección de Técnicas para diseñar.

Receta 73

Espíritu australiano

Para dos pastillas.

Base de fundido y vertido: 230 g de base de glicerina transparente.

Fragancia: 10 gotas de eucalipto, 5 gotas de jazmín, 5 gotas de mango.

Colorante: 5 gotas de negro.

Moldes: molde cuadrado para 140 g cubierto de papel de aluminio.

Otros materiales: plantilla con el dibujo de un canguro saltando, pintura para jabones.

Véase "Jabones pintados" de la sección de Técnicas para diseñar.

Receta 74

Fiji tapa

Esta receta es cortesía de Environmental Technologies. Para dos pastillas.

Base de fundido y vertido: 300 g de base de glicerina blanqueada.

Fragancia: 10 gotas de aceite de coco, 10 gotas de mango.

Colorante: 5 gotas de rojo, 3 gotas de azul (para obtener una tonalidad púrpura).

Moldes: molde cuadrado para 140 g.

Otros materiales: plantilla con dibujos decorativos, pintura para jabones.

Véase "Jabones pintados" (Pintura de puntito, Estarcido) de la sección de Técnicas para diseñar.

Receta 75

Venus de Willendorf

Para dos pastillas.

Base de fundido y vertido: 200 g de base de glicerina blanqueada.

Fragancia: 20 gotas de especia de baya del laurel.

Colorante: 5 gotas de café.

Aditivos: 1 cucharada de salvado de trigo.

Moldes: 98 g Venus de Willendorf.

Véase la Técnica básica.

Receta 76

Nativo de la costa oeste

Para dos pastillas.

Base de fundido y vertido: 85 g de glicerina blanqueada, 85 g de base de glicerina transparente.

Fragancia: 15 gotas de cedro.

Colorante: 4 gotas de arena (para añadir a la glicerina transparente), 4 gotas de café (para añadir a la glicerina blanca).

Moldes: 70 g redondo.

Otros materiales: Motivo de la costa oeste estampado y coloreado en papel blanco para usar como recorte.

Véanse "Jabones amarmolados" y "Jabones con recortes de papel" de la sección de Técnicas para diseñar.

Influencia egipcia

Los rituales de baño egipcios son perfectamente conocidos y se sabe que carecían de jabón. En su lugar, empleaban leche, aceites esenciales y arena blanca como agente abrasivo para limpiar.

Receta 77

Cleopatra

Se usaba sal marina fina en lugar de arena para este jabón. Dos pastillas.

Base de fundido y vertido: 255 g de base de aceite de coco.

Fragancia: 10 gotas de olíbano, 15 gotas de jazmín.

Aditivos: 2 cucharadas de sales marinas finas, 1/2 cucharada de polvos iridiscentes, 1 cucharada de mantequilla de karité.

Moldes: molde ovalado arabesco para 130 g.

Véase la Técnica básica.

Receta 78

Pirámide egipcia

Para una pastilla.

Base de fundido y vertido: 85 g de base de glicerina transparente.

Fragancia: 20 gotas de leche y miel.

Aditivos: 1/4 cucharada de polvos dorados añadidos a la glicerina transparente, 1/4 cucharada de base de aceite blanco cortado en cubos.

Moldes: molde piramidal para 115 g.

Véase "Jabones en trozos" de la sección de Técnicas para diseñar.

Receta 79

Almizcle egipcio

Los bordes se biselan. Para dos pastillas.

Base de fundido y vertido: 200 g de base de glicerina opaca azul Wedgewood.

Fragancia: 20 gotas de almizcle azul.

Moldes: molde rectangular para 85 g y para 115 g.

Otros materiales: plantilla con motivos egipcios.

Véase "Jabones pintados" de la sección de Técnicas para diseñar.

Receta 80

Vestigio antiguo

Para una pastilla.

Base de fundido y vertido: 85 g de base de glicerina opaca amarilla.

Fragancia: 10 gotas de morera, 10 gotas de almizcle.

Aditivos: 1/4 cucharada de base de jabón blanca, cortar en cubos.

Otros materiales: papel con motivo egipcio dorado.

Moldes: molde de forma irregular con papel de aluminio en el fondo de un contenedor de plástico.

Véanse "Jabones en trozos" y "Jabones con recortes de papel" de la sección de Técnicas para diseñar.

Influencia romana

El empleo del jabón no estaba extendido en el Imperio Romano pero sí se conocían sus propiedades purificantes. Los bañistas de los baños romanos utilizaban aceites en sus rituales de limpieza. Los árabes, y después los turcos, reconocieron el valor del jabón. Cuando los turcos invadieron el Imperio Bizantino, el jabón se introdujo en Europa a gran escala.

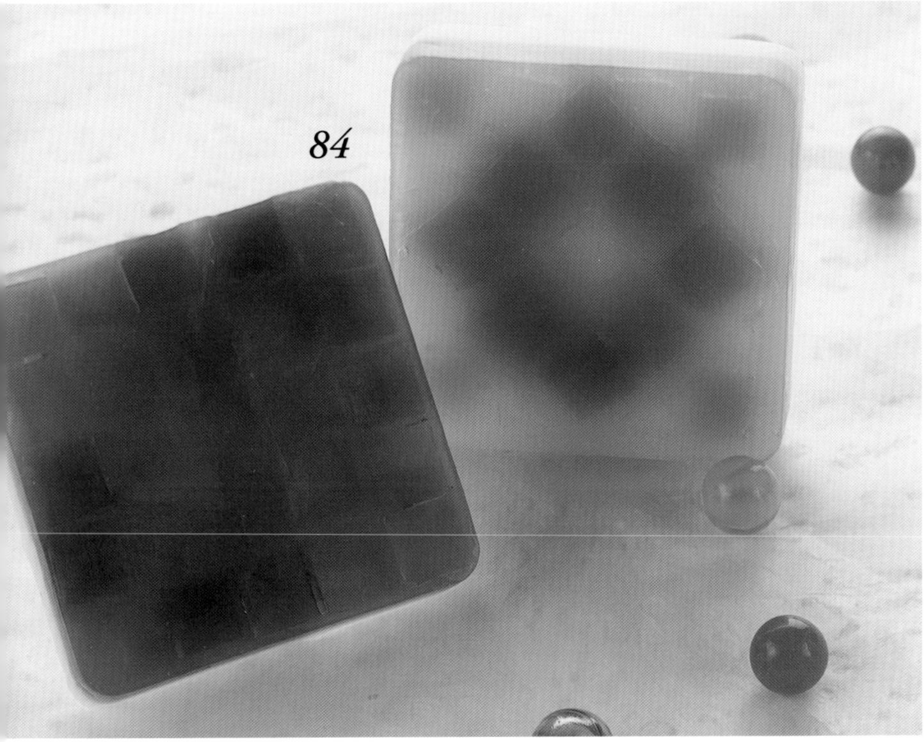

84

Receta 81

Egeo

Para dos pastillas.

Base de fundido y vertido: 55 g de base de glicerina transparente verde azulada, 30 g de base de glicerina opaca azul.

Fragancia: 10 gotas de brisa de océano.

Aditivos: 1/8 cucharada de polvos iridiscentes añadidos a la base opaca azul.

Moldes: molde con forma de doble pez para 45 g.

Véase "Jabones con áreas de color definidas" (Verter y raspar) de la sección de Técnicas para diseñar.

Receta 82

Afrodita

Para una pastilla grande (o dos más pequeñas si se corta a la mitad).

Base de fundido y vertido: 85 g de base de glicerina con aceite de coco añadido.

Fragancia: 10 gotas de neroli, 5 gotas de lavanda.

Colorante: 3 gotas de arena (para obtener una tonalidad crema).

Aditivos: 1/8 cucharada de polvos dorados.

Moldes: molde de goma de Venus de Nilo.

Véase la Técnica básica.

Receta 83

Baño romano

Para dos pastillas.

Base de fundido y vertido: 30 g de base de glicerina transparente, 140 g de base de glicerina blanqueada.

Fragancia: 10 gotas de lavanda, 5 gotas de bergamota.

Aditivos: una pizca de polvos dorados en la base de glicerina.

Moldes: molde con forma de corazón para 85 g.

Véase "Jabones con áreas de color definidas" (Verter y raspar) de la sección de Técnicas para diseñar.

Receta 84

Mosaico bizantino

Para dos pastillas.

Base de fundido y vertido: 55 g de base de glicerina transparente, 55 g de base de glicerina blanqueada.

Fragancia: 5 gotas de pachulí, 10 gotas de pera.

Aditivos: 1/4 de una taza de cubos de jabón coloreados.

Moldes: molde cuadrado para 140 g.

Véase "Jabones en trozos" de la sección de Técnicas para diseñar. Vierta la glicerina en el molde, coloque los cubitos siguiendo un patrón. Cuando esté asentado, vierta la base blanca.

80
78
82
83

Jabones del Viejo Mundo

No fue hasta el siglo XIII cuando la elaboración de jabones se estableció como técnica en Europa. Marsella se erigió como el centro de la elaboración de jabones durante la Edad Media. Génova y Venecia (en Italia) y Castilla (en España) se convirtieron en centros importantes en el siglo XVII, gracias a sus abundantes suministros de aceite de oliva. Aunque se reconoce que los romanos fueron los descubridores del jabón, se sabe que tribus aisladas de vikingos y celtas descubrieron el jabón por su cuenta y lo introdujeron en Inglaterra en el año 1000 a.C.

Receta 85
Renacimiento

Para dos pastillas.

Base de fundido y vertido: 85 g de base de glicerina con aceite de oliva.

Fragancia: 10 gotas de ylang-ylang.

Colorante: 1 gota de rosa china añadido a 30 g de base de jabón fundido.

Aditivos: 1 taza de aceite de oliva, 1/4 taza de ácido cítrico añadido a 55 g de base de jabón fundido.

Moldes: molde redondo con relieve para 45 g.

Véase "Jabones con áreas de color definidas" (Verter y raspar) de la sección de Técnicas para diseñar.

Receta 86
Creación

Para dos pastillas.

Base de fundido y vertido: 230 g de base de aceite de coco.

Fragancia: 15 gotas de peras mezcladas con coñac.

Colorante: 5 gotas de rojo, 3 gotas de azul (para obtener una tonalidad púrpura).

Otros materiales: Recorte de papel decorativo con un dibujo sobre la *Creación,* de Miguel Ángel.

Moldes: molde rectangular para 115 g.

Véase "Jabones con recortes de papel" de la sección de Técnicas para diseñar.

Receta 87
Toscana

Para dos pastillas.

Base de fundido y vertido: 115 g de base de aceite de coco.

Fragancia: 10 gotas de canela, 5 gotas de bergamota, 10 gotas de vainilla.

Aditivos: 1/2 cucharada de cacao en polvo, 1/2 cucharada de canela, 1/4 cucharada de clavo en polvo, 1 cucharada de mantequilla de cacao.

Moldes: molde redondo de fantasía para 55 g.

Véase la Técnica básica.

Receta 88
Ángel de Rafael

Para dos pastillas.

Base de fundido y vertido: 115 g de base de aceite de coco.

Fragancia: 10 gotas de gardenia, 10 gotas de mantequilla de cacao.

Aditivos: 2 cápsulas de vitamina E, 1 cucharada de mantequilla de karité.

Moldes: molde de ángel para 55 g.

Otros materiales: pintura para jabones verde, 1 cucharada de compuesto, 1/2 cucharada de polvos dorados.

Véase "Jabones pintados" de la sección de Técnicas para diseñar.

1. Para crear el efecto verdín, pincelada seca con pintura verde. Dejar secar.
2. Mezclar el compuesto con los polvos dorados y aplicar pinceladas.

Receta 89
Nudo en el corazón celta

Para dos pastillas.

Base de fundido y vertido: 200 g de base de glicerina transparente.

Fragancia: 5 gotas de romero, 5 gotas de menta, 5 gotas de pirola.

Colorante: 5 gotas de verde.

Aditivos: una pizca de polvos iridiscentes añadidos a 30 g de base de jabón fundido.

Moldes: molde para 100 g con forma de corazón celta.

Véase "Jabones con áreas de color definidas" (Verter y raspar) de la sección de Técnicas para diseñar.

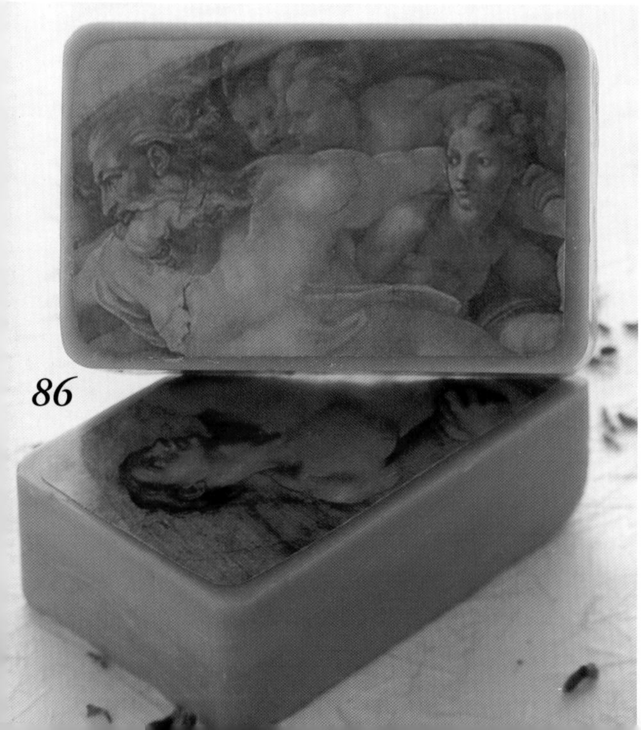

86

Receta 90
Celta

Para dos pastillas.

Base de fundido y vertido: 170 g de base de aceite de coco.

Fragancia: 15 gotas de lluvia fresca.

Colorante: 4 gotas de cáscara de aguacate verde.

Moldes: molde ovalado para 85 g.

Otros materiales: sello de goma con motivos de nudos celtas.

Véase "Jabones con grabados" de la sección de Técnicas para diseñar.

Receta 91
Deseo celta

Para dos pastillas.

Base de fundido y vertido: 200 g de glicerina con aceite de cáñamo.

Fragancia: 20 gotas de menta de hierba.

Aditivos: 1/2 cucharada de hojas de menta secas, una pizca de polvos de oro añadidos a 30 g de base de jabón derretida.

Moldes: molde cuadrado celta para 100 g.

Véase "Jabones con áreas de color definidas" (Verter y raspar) de la sección de Técnicas para diseñar.

Receta 92
Búsqueda vikinga

Para dos pastillas.

Base de fundido y vertido: 200 g de base de glicerina blanqueada.

Fragancia: 15 gotas de albaricoque.

Colorante: 2 gotas de verde mezclado con 30 g de base de jabón fundido, 2 gotas de verde mezclados con 170 g de base de jabón fundido.

Aditivos: brillantina dorada añadida a 30 g de base de jabón fundido.

Moldes: moldes rectangulares con dibujos en relieve para 85 g y 115 g.

Véase "Jabones con áreas de color definidas" (Verter y raspar) de la sección de Técnicas para diseñar.

Receta 93
Té verde

Esta receta, creada por Maria Nerius, es cortesía de Delta Technical Coatings. Para dos pastillas.

Base de fundido y vertido: 170 g de base de glicerina opaca verde.

Fragancia: 15 gotas de lluvia fresca.

Colorante: una pizca de polvos dorados añadidos a 30 g de base de jabón fundido.

Aditivos: brillantina dorada añadida a 150 g de base de jabón fundido.

Moldes: 170 g de símbolos asiáticos.

Véase "Jabones con áreas de color definidas" (Verter y raspar) de la sección de Técnicas para diseñar.

Receta 94
Huevo de jade

Para un huevo de jade.

Base de fundido y vertido: 85 g de base de glicerina con aceite de cáñamo.

Fragancia: 8 gotas de hierba de limón, 5 gotas de neroli.

Colorante: 4 gotas de espinaca.

Moldes: molde de huevo tridimensional para 85 g.

Véase la Técnica básica.

Receta 95
Zen oriental

Para dos pastillas.

Base de fundido y vertido: 115 g de base de glicerina opaca coloreada roja.

Fragancia: 10 gotas de manzana y pera, 5 gotas de jengibre.

Aditivos: una pizca de polvos dorados añadidos a la base de jabón derretido.

Moldes: moldes de crisantemo para 45 g.

Véase "Jabones con áreas de color definidas" (Verter y raspar) de la sección de Técnicas para diseñar.

91
89
92
90

Receta 96

Yin/Yang

Para dos pastillas.

Base de fundido y vertido: 55 g de base de glicerina transparente, 55 g de base de glicerina blanqueada.

Fragancia: 15 gotas de lluvia de China.

Aditivos: 1/8 cucharada de polvos dorados añadidos a la base de glicerina transparente.

Moldes: molde redondo para 70 g.

Otros materiales: sello de goma con dibujo de tortuga, pintura verde para jabones, pintura dorada para jabones.

Véanse "Jabones con capas", "Jabones con relieves" y "Jabones pintados" de la sección de Técnicas para diseñar. Pincelada seca con pintura verde y dorada.

Jabones reales

Los jabones de triple molienda producidos para su comercialización en Francia todavía se consideran los mejores gracias a su suntuosa solidez, fragancia duradera y excelentes cualidades emolientes. Muchas recetas de fragancias desde los siglos pasados son tan populares hoy como una vez lo fueron para la realeza.

Receta 100

Camafeo francés

Para dos pastillas.

Base de fundido y vertido: 115 g de glicerina blanqueada.

Fragancia: 8 gotas de fleur.

Colorante: 3 gotas de azul, 1 gota de naranja añadido a 55 g de base de jabón fundido (para obtener un color azul Wedgewood).

Moldes: molde de camafeo grande para 55 g.

Véase "Jabones con áreas de color definidas" (Verter y raspar) de la sección de Técnicas para diseñar.

Receta 97

Reina Mary

La Reina Mary de Escocia era famosa por su piel impoluta y suave. Dos pastillas.

Base de fundido y vertido: 55 g de base de glicerina transparente, 200 g de base de glicerina blanqueada.

Fragancia: 10 gotas de vainilla, 5 gotas de albaricoque, 5 gotas de gardenia.

Colorante: 1 gota de rojo añadido a 30 g de base de jabón fundido transparente, 3 gotas de colorante de arena añadidas a la base de glicerina blanqueada fundida.

Moldes: molde con forma de corazón y corona para 135 g.

Véase "Jabones con áreas de color definidas" (Verter y raspar) de la sección de Técnicas para diseñar.

Receta 98

Rey Luis

Para dos pastillas.

Base de fundido y vertido: 30 g de base de glicerina transparente, 170 g de base de glicerina blanqueada.

Fragancia: 10 gotas de vainilla, 5 gotas de lavanda, 5 gotas de ciruela con especias.

Colorante: 2 gotas de azul añadido a la base de jabón transparente fundida.

Aditivos: una pizca de polvos iridiscentes para añadir en la base transparente fundida.

Moldes: molde con forma de corazón radiante para 100 g.

Véase "Jabones con áreas de color definidas" (Verter y raspar) de la sección de Técnicas para diseñar.

Receta 99

Campos franceses

Para dos pastillas.

Base de fundido y vertido: 30 g de base de glicerina transparente, 85 g de base de glicerina blanqueada.

Fragancia: 10 gotas de lavanda, 5 gotas de neroli, 5 gotas de mandarina tangerina.

Colorante: 5 gotas de rojo, 2 gotas de azul.

Moldes: moldes de flor de lis y cuadrado de fantasía para 55 g.

Véase "Jabones con áreas de color definidas" (Verter y raspar) de la sección de Técnicas para diseñar. Añadir 5 gotas de colorante rojo y 2 gotas de colorante azul a cada base de jabón fundido.

Jabones inspirados en el arte

La inspiración para los jabones viene de muchas fuentes. Las obras de arte modernas y las esencias inspiran estos proyectos del arte del jabón.

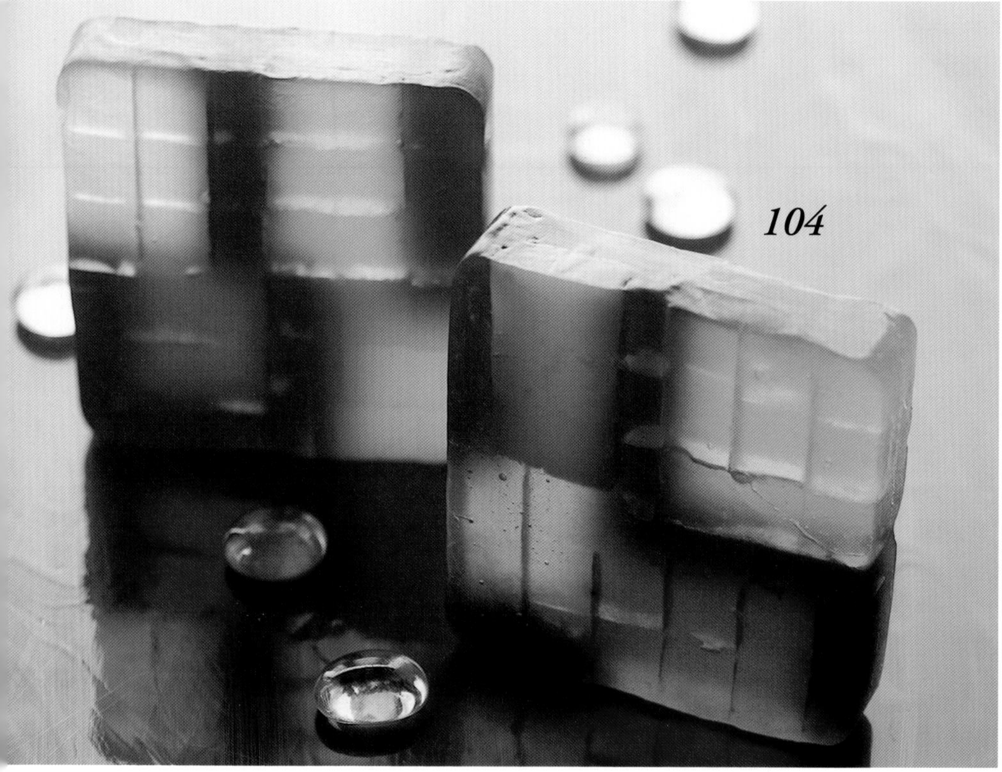

Receta 101

Rosa tropical de Gauguin

Para dos pastillas.

Base de fundido y vertido: 300 g de base de aceite de coco.

Fragancia: 10 gotas de coco, 10 gotas de pétalos de rosas.

Colorante: 4 gotas de melón.

Aditivos: 1 cucharada de coco, 1/8 cucharada de polvos iridiscentes.

Moldes: molde cuadrado para 140 g.

Otros materiales: fotocopia en color de un cuadro de Paul Gauguin para los recortes.

Véase "Jabones con recortes de papel" de la sección de Técnicas para diseñar.

Receta 102

Picasso

Para dos pastillas.

Base de fundido y vertido: 170 g de base de glicerina blanqueada.

Fragancia: 5 gotas de pachulí, 10 gotas de vainilla.

Aditivos: jabón de glicerina transparente azul, jabón de glicerina transparente rosa, cubos de jabón amarillos.

Moldes: molde rectangular para 115 g.

Véase "Jabones en trozos" de la sección de Técnicas para diseñar. Con un biselador, haga virutas del jabón azul. Corte triángulos del jabón de glicerina rosa.

Receta 103

Beso

Inspirado en "El Beso" de Brancusi. Para dos pastillas.

Base de fundido y vertido: 230 g de base de glicerina blanqueada.

Fragancia: 20 gotas de romance ámbar.

Colorante: 5 gotas de rojo, 3 gotas de azul, 3 gotas de amarillo (para obtener una tonalidad púrpura grisácea).

Moldes: molde rectangular para 115 g.

Véase "Jabones tallados" de la sección de Técnicas para diseñar.

Receta 104

Moderno

Inspirado en "Composición con rojo, amarillo y azul" de Mondrian. Para una pastilla.

Base de fundido y vertido: 115 g de base de glicerina transparente.

Fragancia: 5 gotas de mora, 5 gotas de baya, 5 gotas de zarzamora.

Aditivos: cubos de jabón blancos, amarillos, rojos, púrpura oscuro y azul.

Moldes: molde cuadrado para 140 g.

Véase "Jabones en trozos" de la sección de Técnicas para diseñar. Con un biselador, haga virutas del jabón azul. Coloque los cubos con cuidado en el fondo del molde y vierta la base fundida transparente en la superficie.

102
101
103

Jabones pintados

La siguiente sección comprende recetas de jabones decorativos pequeños que forman relieves sobre jabones más grandes. Puede adherir los jabones decorativos con jabón fundido transparente o presentarlos colocados sobre jabones grandes y empaquetados juntos. Así se obtiene un jabón pequeño y elegante para el lavabo, y una pastilla grande para la bañera o la ducha.

Receta 105

Crema de frambuesa

Esta técnica es cortesía de Environmental Technologies. Un conjunto de pastillas.

Base de fundido y vertido: 140 g de base de glicerina blanqueada.

Fragancia: 10 gotas de vainilla de frambuesa.

Colorante: 1 gota de rojo (para la base de frambuesa), 1 gota de verde (para las hojas de frambuesa), 3 gotas de rojo (para la pastilla ovalada).

Moldes: molde ovalado, racimo de uvas para la frambuesa para 85 g.

Véanse "Jabones con áreas de color definidas" y "Jabones con relieves decorativos" de la sección de Técnicas para diseñar.

Receta 106

Capullo de madreselva

Esta técnica es cortesía de Environmental Technologies. Un conjunto de pastillas.

Base de fundido y vertido: 200 g de base de glicerina blanqueada.

Fragancia: 10 gotas de madreselva.

Colorante: 3 gotas de amarillo añadidas a 55 g de base para jabones (para los capullos).

Moldes: molde redondo para 85 g con motivos de capullos pequeños.

Véase "Jabones con relieves decorativos" de la sección de Técnicas para diseñar.

Receta 107

Querubines

Para dos conjuntos de pastillas.

Base de fundido y vertido: 230 g de base de glicerina blanqueada.

Fragancia: 10 gotas de polvos de talco, 5 gotas de lirio de los valles.

Colorante: 2 gotas de rojo, 1 gota de azul añadido a 55 g de base de jabón (para los querubines), 3 gotas de rojo añadido a 170 g de base para jabones (para la pastilla rectangular).

Aditivos: una pizca de polvos iridiscentes (para los querubines).

Moldes: querubines pequeños, molde rectangular para 85 g.

Véase "Jabones con relieves decorativos" de la sección de Técnicas para diseñar.

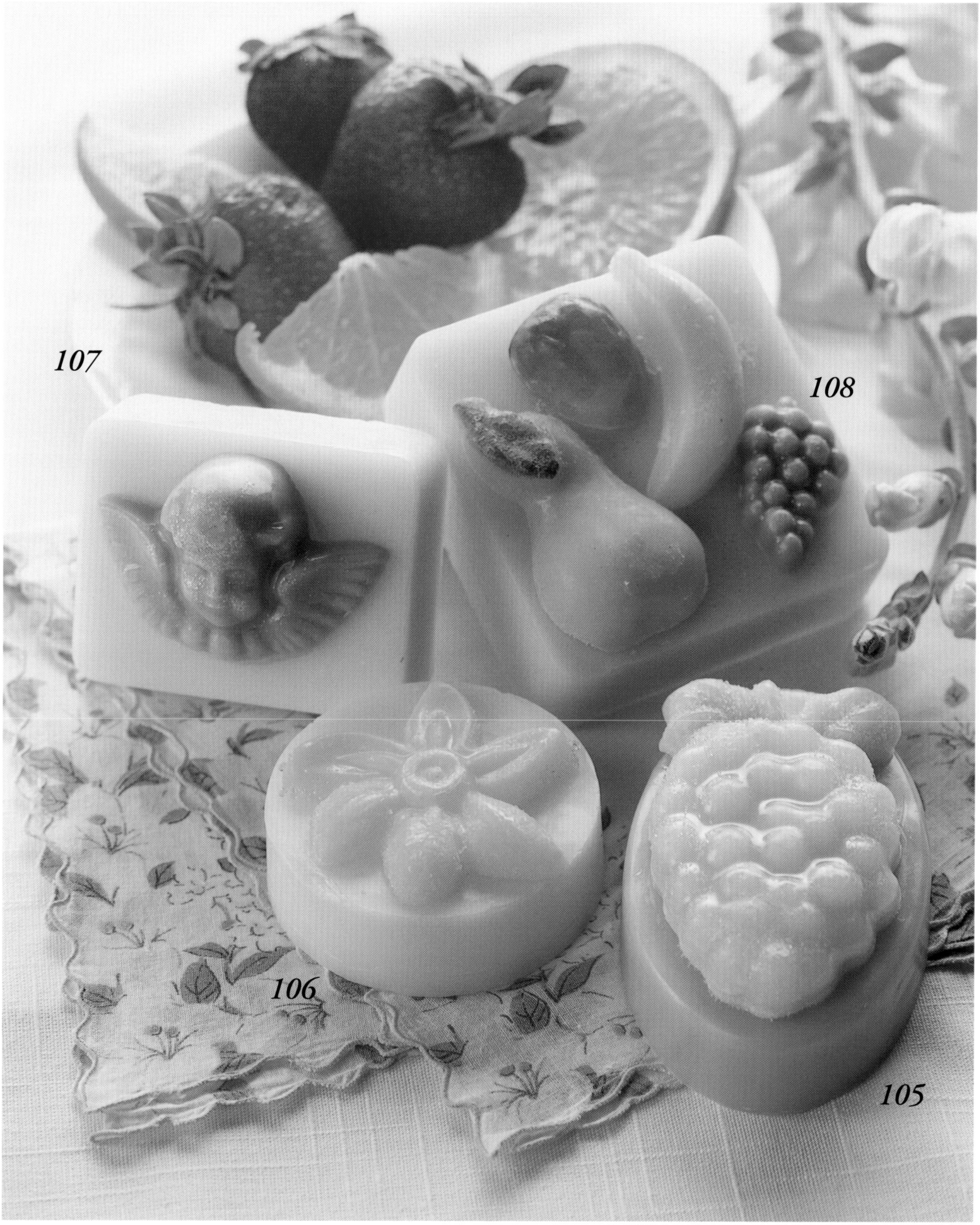
107
108
106
105

Receta 108
Fruta

Para un conjunto de pastillas.

Base de fundido y vertido: 55 g de base de glicerina transparente (para la fruta), 140 g de base de glicerina blanqueada (para la pastilla cuadrada).

Fragancia: 5 gotas de mango, 10 gotas de melón.

Colorante: rojo (para la fresa), púrpura (para la uva), amarillo (para el plátano), naranja (para la pera), 3 gotas de verde (para la pastilla).

Moldes: bandeja de motivos frutales.

Otros materiales: pintura para jabones verde.

Véanse "Jabones con relieves decorativos" y "Jabones pintados" de la sección de Técnicas para diseñar. Resaltar las frutas con un poco de pintura verde.

Receta 109
Criaturas

Para dos conjuntos de pastillas.

Base de fundido y vertido: 55 g de base de glicerina transparente (para la mariquita), 115 g de base de glicerina blanqueada (para la pastilla hexagonal).

Fragancia: 10 gotas de mora.

Colorante: 2 gotas de rojo (para las mariquitas), 5 gotas de verde (para la pastilla).

Moldes: molde de mariquita pequeña, molde hexagonal para 55 g.

Otros materiales: pintura para jabones negra.

Véanse "Jabones con relieves decorativos" y "Jabones pintados" de la sección de Técnicas para diseñar. Resaltar las mariquitas con un poco de pintura negra.

Receta 110
Jabón de los bosques

Para dos conjuntos de pastillas.

Base de fundido y vertido: 115 g de glicerina blanqueada.

Fragancia: 6 gotas de azúcar moreno.

Colorante: 3 gotas de arena (para las bellotas), 3 gotas de verde (para las hojas).

Aditivos: una pizca de canela en polvo (para las bellotas).

Moldes: bandeja con motivos de bosque.

Otros materiales: pintura crema para jabones.

Véanse "Jabones con relieves decorativos" y "Jabones pintados" de la sección de Técnicas para diseñar. Resaltar las bellotas con un poco de pintura crema.

Receta 111
Festivo

Para un conjunto de pastillas.

Base de fundido y vertido: 85 g de base de glicerina blanqueada (para los motivos navideños), 115 g de base de glicerina transparente (para la pastilla).

Fragancia: 10 gotas de ponche de huevo, 5 gotas de palo de caramelo.

Colorante: 5 gotas de verde (para la pastilla).

Moldes: bandeja con motivos navideños, molde rectangular para 85 g.

Otros materiales: pintura para jabones verde, roja y dorada.

Véanse "Jabones con relieves decorativos" y "Jabones pintados" de la sección de Técnicas para diseñar. Resaltar los motivos navideños con un poco de pintura verde, roja y dorada.

Receta 112
Copo de brillantina

Para dos conjuntos de pastillas.

Base de fundido y vertido: 115 g de base de glicerina transparente.

Fragancia: 10 gotas de vainilla, 10 gotas de violeta.

Colorante: 6 gotas de azul (para la pastilla).

Aditivos: una pizca de polvos iridiscentes (para los copos de nieve).

Moldes: bandeja con motivos de copos de nieve, molde de estrellas para 55 g.

Véase "Jabones con relieves decorativos" de la sección de Técnicas para diseñar.

Receta 113
Rosa silvestre

Para dos conjuntos de pastillas.

Base de fundido y vertido: 140 g de base de glicerina blanqueada.

Fragancia: 10 gotas de rosa victoriana.

Colorante: 1 gota de rojo (para las rosas), 3 gotas de verde (para la pastilla).

Moldes: bandeja con motivos rosales, molde redondo para 55 g.

Véase "Jabones con relieves decorativos" de la sección de Técnicas para diseñar.

113
116
114

Receta 114

Corazón de arte folk

Para dos conjuntos de pastillas.

Base de fundido y vertido: 140 g de base de glicerina blanqueada.

Fragancia: 10 gotas de arce mantequilloso.

Colorante: 3 gotas de rojo (para los corazones), 3 gotas de verde (para la pastilla).

Moldes: bandeja con motivos de arte folk, molde de corazones para 55 g.

Otros materiales: pintura para jabones blanca.

Véanse "Jabones con relieves decorativos" y "Jabones pintados" de la sección de Técnicas para diseñar. Pincelada seca con un poco de pintura blanca sobre los motivos folclóricos.

Receta 115

Concha marina

Para dos conjuntos de pastillas.

Base de fundido y vertido: 55 g de base de glicerina blanqueada (para las conchas), 115 g de base de glicerina transparente (para los redondeles).

Fragancia: 10 gotas de lluvia hawaiana.

Colorante: variedad de azul, verde y blanco (para las conchas), 2 gotas de azul, 2 gotas de verde (para la pastilla).

Moldes: bandeja con motivos de conchas marinas, molde redondo para 55 g.

Véase "Jabones con relieves decorativos" de la sección de Técnicas para diseñar.

Receta 116

Camafeo

Para dos pastillas.

Base de fundido y vertido: 200 g de base de glicerina blanqueada.

Fragancia: 5 gotas de jazmín, 5 gotas de coco.

Colorante: 2 gotas de azul, 1 gota de naranja para la tonalidad azul Wedgewood (para el camafeo).

Aditivos: 1/2 cucharada de coco (para la pastilla).

Moldes: bandeja pequeña con motivos de camafeo, molde ovalado para 85 g.

Véanse "Jabones con áreas de color definidas" y "Jabones con relieves decorativos" (Verter y raspar) de la sección de Técnicas para diseñar.

Jabones de trabajo

Me gusta llamar a los jabones de esta sección "jabones de trabajo". Están pensados para eliminar la suciedad, los olores desagradables o las bacterias dañinas. Además, tienen cualidades especiales que limpian o alivian problemas en manos u otras superficies.

Receta 117

Piedra pómez

Un jabón de limpieza con las cualidades de la piedra pómez. Ideal para pies y codos. Para una pastilla.

Base de fundido y vertido: 115 g de base de glicerina blanqueada con aceite de coco añadido.

Fragancia: 10 gotas de menta.

Aditivos: 1 cucharada de piedra pómez en polvo mezclada con 1 cucharada de glicerina líquida.

Moldes: molde ovalado para 115 g.

Véase la Técnica básica.

Receta 118

Concha de ostra

Las conchas de ostra molidas poseen propiedades exfoliantes para la piel y dan al jabón un aspecto resplandeciente. Para dos pastillas.

Base de fundido y vertido: 170 g de base de glicerina transparente.

Fragancia: 15 gotas de brisa de océano.

Aditivos: 1 cucharada de concha de ostra en polvo, 1/8 cucharada de polvos de oro.

Moldes: molde de concha de almeja para 85 g.

Véase la Técnica básica.

Receta 119

Jabón de cocina

Esta gran idea es cortesía de C. Kaila Westerman, autor de Melt & Mold Soap Crafting *(Storey Book Publications). El platillo para el jabón con relieve hace que el jabón se escurra por sí solo y es muy práctico en la cocina. Para dos pastillas.*

Base de fundido y vertido: 230 g de base de glicerina transparente.

Fragancia: 20 gotas de romero, 10 gotas de anís.

Colorante: 5 gotas de verde.

Aditivos: 1/2 cucharada de concha de aceite de coco, 1/4 cucharada de aceite de almendras secas, 2 cucharadas de arcilla.

Moldes: molde rectangular para 115 g.

Otros materiales: platillo de plástico.

Véase "Jabones con grabados" de la sección de Técnicas para diseñar.

115
117
118

Receta 120

Jabón limpiatodo

Este jabón es el mejor amigo de un jardinero. La receta es cortesía de Environmental Technologies. Para dos pastillas.

Base de fundido y vertido: 170 g de base de glicerina transparente.

Fragancia: 6 gotas de naranja, 4 gotas de lima, 2 gotas de menta.

Colorante: 5 gotas de rojo, 2 gotas de negro (para obtener una tonalidad marrón oscura).

Aditivos: 1 cucharada de avena molida, 1/2 cucharada de almendras molidas, 1 cucharada de romero seco.

Moldes: molde rectangular para 85 g.

Véase la técnica básica.

Receta 121

Jabón de luffa limón

Para dos pastillas.

Base de fundido y vertido: 115 g de base de glicerina transparente.

Fragancia: 10 gotas de limón.

Colorante: 4 gotas de amarillo.

Aditivos: 1 cucharada pequeña de trozos de luffa.

Moldes: molde de limón para 55 g.

Véase la técnica básica.

Receta 122

Jabón antiolores de cocina

El aroma del café y el limón ayudan a eliminar los olores fuertes como el de cebolla o el de pescado de sus manos. Para dos pastillas.

Base de fundido y vertido: 170 g de base de glicerina transparente.

Fragancia: 10 gotas de limón, 10 gotas de café expreso.

Colorante: 4 gotas de rojo, 2 gotas de negro (para obtener una tonalidad marrón oscura).

Aditivos: 1 cucharada de café molido fresco, 1/2 cucharada de gránulos de limón seco.

Moldes: molde rectangular para 85 g.

Véase la técnica básica.

Receta 123

Jabón antibacterias

Se trata de un jabón con fuertes propiedades desinfectantes. Para dos pastillas.

Base de fundido y vertido: 170 g de base de aceite de coco.

Fragancia: 10 gotas de menta, 5 gotas de eucalipto, 5 gotas de árbol del té.

Colorante: 5 gotas de verde.

Aditivos: 1 cucharada de eucalipto seco, 1 cucharada de menta seca.

Moldes: molde ovalado para 85 g.

Véase la técnica básica.

Receta 124

Jabón del pescador

Se dice que el aroma del anís camufla el olor humano cuando se pesca. Las pequeñas pastillas caben en la caja del equipo de pesca.

Base de fundido y vertido: 85 g de base de glicerina blanqueada.

Fragancia: 15 gotas de anís.

Aditivos: 1 cucharada de semillas de anís molidas.

Moldes: molde redondo con motivos de peces para 45 g.

Véase la técnica básica.

120
122
124

Receta 125

Caída del árbol del té

Este jabón curativo se emplea para las pieles con rasguños. ¡Estupendo tras un día recogiendo moras! Para dos pastillas.

Base de fundido y vertido: 115 g de base de aceite de coco.

Fragancia: 10 gotas de árbol del té.

Colorante: 5 gotas de verde.

Aditivos: 1 cucharada de consuelda, 4 cápsulas de vitamina E.

Moldes: molde redondo con motivos del sureste para 55 g.

Véase la Técnica básica.

Receta 126

Jabón para el afeitado

La receta es cortesía de Environmental Technologies

Base de fundido y vertido: 115 g de base de aceite de coco.

Fragancia: 10 gotas de menta, 10 gotas de canela.

Colorante: 5 gotas de naranja.

Aditivos: 1 cucharada de hamamelis, 3 cápsulas de vitamina E, 1 cucharada de glicerina líquida.

Moldes: una taza de afeitado donde se vierte el jabón.

Véase la Técnica básica.

Receta 127

Jabón para el afeitado de marinero

Para dos pastillas.

Base de fundido y vertido: 140 g de base de aceite de coco.

Fragancia: 20 gotas de *bay rum* (after shave).

Colorante: 6 gotas de azul.

Aditivos: 3 cápsulas de vitamina E, 1 cucharada de gel de aloe vera, 1 cucharada de aceite de coco.

Moldes: molde redondo para 70 g.

Véase la Técnica básica.

Receta 128

Jabón para el afeitado de las damas

Para dos pastillas.

Base de fundido y vertido: 170 g de base de aceite de coco.

Fragancia: 10 gotas de leche y miel, 10 gotas de crema de vainilla.

Colorante: 5 gotas de rojo.

Aditivos: 1 cucharada de mantequilla de coco, 1/2 cucharada de arcilla, 3 cápsulas de vitamina E, 8 gotas de extracto de semillas de pomelo.

Moldes: molde de corazón con relieve para 85 g.

Véase la Técnica básica.

Receta 129

Jabón para calmar las manos

Para dos pastillas.

Base de fundido y vertido: 115 g de base de aceite de coco.

Fragancia: 5 gotas de romero, 10 gotas de rosa inglesa.

Colorante: 3 gotas de rojo, 4 gotas de amarillo.

Aditivos: 1 cucharada de avena molida, 3 cápsulas de vitamina E, 1/2 cucharada de romero molido, 1 cucharada de arcilla.

Moldes: molde redondo con motivos celestiales para 55 g.

Véase la Técnica básica.

Receta 130

Jabón de pincel del artista

Este jabón es perfecto para limpiar de acrílicos los pinceles. Realmente funciona. Moldee el jabón dentro de una lata y utilícelo sólo para pinceles.

Base de fundido y vertido: 115 g de base de aceite de coco.

Aditivos: 1 cucharada sopera de detergente para ropa como Woolite.

Moldes: 115 g lata.

Véase la Técnica básica.

Receta 131

Manos creativas

Este jabón exfoliante resulta muy bien para pintores y timbradores. Para dos pastillas.

Base de fundido y vertido: 115 g de base de aceite de coco.

Fragancia: 15 gotas de enebro.

Aditivos: 3 cápsulas de vitamina E, 1 cucharada de aceite de coco, 1 cucharada de glicerina líquida, 1 cucharada de arcilla, 1 cucharada de piedra pómez molida.

Moldes: molde redondo para 55 g.

Otros materiales: sello de jabón con dibujos de pera.

Véase "Jabones con cuño" de la sección de técnicas para diseñar.

Receta 132

Protector de manos

Éste es otro jabón para tratar manos que necesitan un cuidado especial. Para dos pastillas.

Base de fundido y vertido: 200 g de base de glicerina blanqueada.

Fragancia: 10 gotas de pepino, 10 gotas de anís.

Colorante: 3 gotas de verde.

Aditivos: 1 cucharada de piedra pómez mezclada con una cucharada de glicerina líquida.

Moldes: molde de corazón celta para 95 g.

Véase la Técnica básica.

126
129
127
128

130

132

131

125

Mis jabones favoritos de frutas

La sección siguiente muestra mis jabones favoritos. Luminosos y divertidos, son sorprendentemente sencillos de elaborar con moldes de tubo.

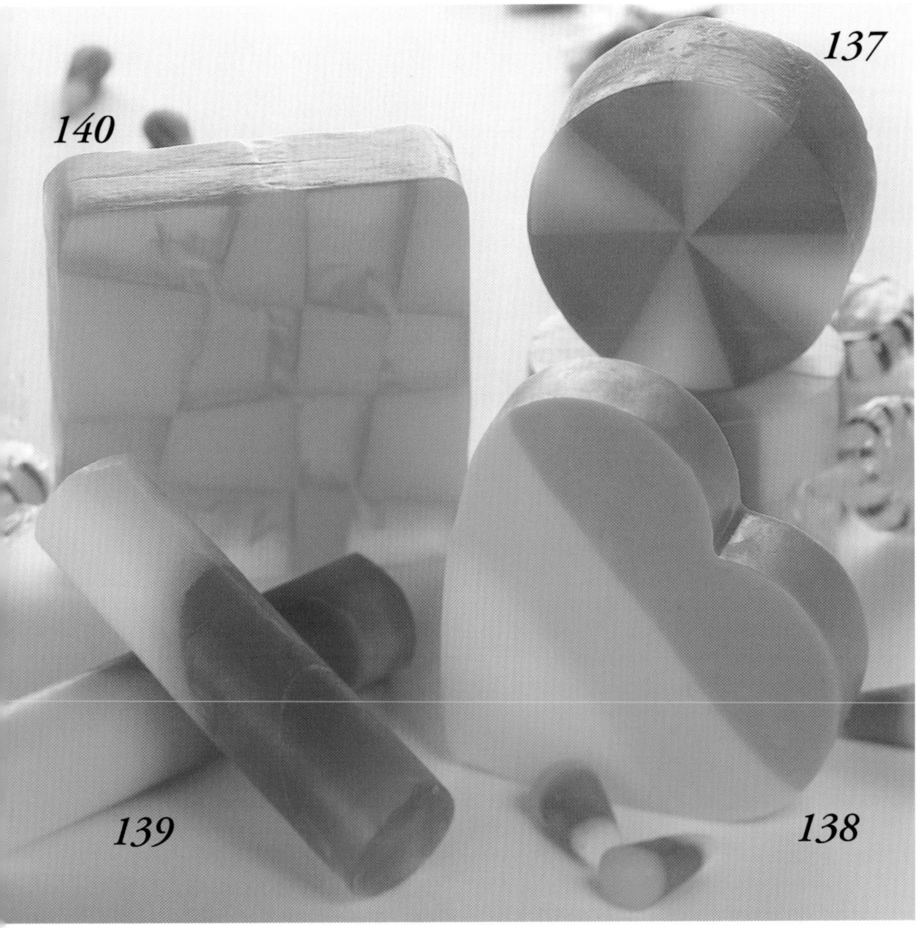

Receta 133
Gajo de naranja

Esta receta, cortesía de Environmental Technologies, está disponible en un kit. Para dos pastillas, 2 cm de ancho.

Base de fundido y vertido: 230 g de base de glicerina transparente.

Fragancia: 20 gotas de naranja dulce.

Colorante: 6 gotas de naranja, 4 gotas de blanco.

Moldes: tubo de 6 cm y tubo de 8 cm.

Véase "Jabones moldeados de tubo" de la sección de Técnicas para diseñar y siga estas instrucciones:

1. Funda 170 g de base de glicerina transparente. Añada 20 gotas de aceite de fragancia de naranja dulce y 6 gotas de colorante naranja. Viértalo en un tubo de 6 cm preparado. Deje asentar y saque el jabón.
2. Corte la columna de jabón naranja en seis secciones. Coloque el tubo de 8 cm. Deje enfriar.
3. Funda 55 g de base de glicerina transparente. Añada 4 gotas de colorante blanco. Vierta dentro y alrededor las secciones frías. Deje asentar y saque el jabón.
4. Recorte los bordes y corte el jabón en dos pastillas de 2 cm de ancho.

Receta 134
Gajo de lima

Dos pastillas, 2 cm de ancho.

Base de fundido y vertido: 230 g de base de glicerina transparente.

Fragancia: 20 gotas de lima.

Colorante: 6 gotas de verde, 4 gotas de blanco.

Moldes: tubo de 6 cm y tubo de 8 cm.

Véase "Jabones moldeados de tubo" de la sección de Técnicas para diseñar:

1. Funda 170 g de base de glicerina transparente. Añada 20 gotas de aceite de fragancia de lima y 6 gotas de colorante verde. Viértalo en un tubo de 6 cm preparado. Deje asentar y saque el jabón.
2. Corte la columna de jabón verde en seis secciones. Coloque el tubo de 8 cm. Deje enfriar.
3. Funda 55 g de base de glicerina transparente. Añada 6 gotas de colorante blanco. Vierta dentro y alrededor las secciones frías. Deje asentar y saque el jabón.
4. Recorte los bordes y corte el jabón en dos pastillas de 2 cm de ancho.

Receta 135
Gajo de limón

Para dos pastillas de 2 cm de ancho.

Base de fundido y vertido: 230 g de base de glicerina transparente.

Fragancia: 20 gotas de limón.

Colorante: 8 gotas de amarillo, 4 gotas de blanco.

Moldes: tubo de 6 cm y tubo de 8 cm.

Véase "Jabones moldeados de tubo" de la sección de Técnicas para diseñar y siga estas instrucciones:

1. Funda 170 g de base de glicerina transparente. Añada 20 gotas de aceite de fragancia de limón y 8 gotas de colorante amarillo. Viértalo en un tubo de 6 cm preparado. Deje asentar y saque el jabón.
2. Corte la columna de jabón amarillo en seis secciones. Coloque el tubo de 8 cm. Deje enfriar.
3. Funda 55 g de base de glicerina transparente. Añada 4 gotas de colorante blanco. Vierta dentro y alrededor las secciones frías. Deje asentar y saque el jabón.
4. Recorte los bordes y corte el jabón en dos pastillas de 2 cm de ancho.

Receta 136

Gajo de pomelo rosa

Para dos pastillas, 2 cm de ancho.

Base de fundido y vertido: 230 g de base de glicerina transparente.

Fragancia: 20 gotas de pomelo rosa.

Colorante: 5 gotas de rojo, 5 gotas de blanco.

Moldes: tubo de 6 cm y tubo de 8 cm.

Véase "Jabones moldeados de tubo" de la sección de Técnicas para diseñar y siga estas instrucciones:

1. Funda 170 g de base de glicerina transparente. Añada 20 gotas de aceite de fragancia de pomelo rosa, 1 gota de colorante blanco y 5 gotas de colorante rojo. Viértalo en un tubo de 6 cm preparado. Deje asentar y saque el jabón.
2. Corte la columna de jabón rosa en seis secciones. Coloque el tubo de 8 cm. Deje enfriar.
3. Funda 55 g de base de glicerina transparente. Añada 4 gotas de colorante blanco. Vierta dentro y alrededor las secciones frías. Deje asentar y saque el jabón.
4. Recorte los bordes y corte el jabón en dos pastillas de 2 cm de ancho.

Receta 137

Pellizco de menta

Puede elaborar este jabón de menta en rojo, verde o ambos. Para dos pastillas, 2,5 cm de ancho.

Base de fundido y vertido: 170 g de base de glicerina transparente.

Fragancia: 10 gotas de menta (para el verde) o 10 gotas de canela (para el rojo).

Colorante: 4 gotas de verde (para el verde) o 4 gotas de rojo (para el rojo).

Moldes: tubo de 5 cm redondo.

Véase "Jabones moldeados de tubo" de la sección de Técnicas para diseñar y siga estas instrucciones:

1. Funda 85 g de base de glicerina transparente con fragancia de canela y colorante rojo (para el rojo) o de menta y colorante verde (para el verde) en un tubo preparado de 5 cm.
2. Corte las columnas de jabón rosa en ocho secciones. Coloque la cuatro secciones de nuevo en el molde redondo de 5 cm. Vierta 85 g de base transparente con 4 gotas de colorante blanco. Deje asentar y saque el jabón.
3. Recorte los bordes y corte el jabón en dos pastillas de 2,5 cm de ancho.

Receta 138

Maíz de caramelo

Para dos pastillas, 2,5 cm de ancho.

Base de fundido y vertido: 170 g de base de glicerina transparente.

Fragancia: 15 gotas de galleta de azúcar, 10 gotas de azúcar moreno.

Colorante: 4 gotas de blanco, 4 gotas de amarillo, 3 gotas de mostaza china.

Moldes: tubo de corazón de 8 cm.

Véase "Jabones moldeados de tubo" de la sección de Técnicas para diseñar y siga estas instrucciones:

1. Funda 170 g de base de glicerina transparente con 4 gotas de colorante blanco y 10 gotas de aceite de fragancia de galleta en un molde de tubo preparado de 8 cm con forma de corazón. Deje asentar y saque el jabón.
2. Corte una pieza de 2,5 cm del fondo de la columna de corazón y colóquelo de nuevo en el molde.
3. Vuelva a fundir el jabón restante añadiendo 4 gotas de colorante amarillo y 10 gotas de aceite de fragancia de azúcar moreno. Viértalo en el molde de corazón. Deje asentar y saque el jabón.
4. Corte un trozo de 2 cm de la superficie de la columna de corazón. Ponga la sección más grande del fondo del corazón de nuevo en el molde.
5. Vuelva a la pieza de jabón restante y añada 3 gotas de colorante de mostaza china y 5 gotas de aceite de fragancia de galleta de azúcar. Viértalo en el molde de corazón. Deje asentar y saque el jabón.
6. Recorte y corte el jabón en dos pastillas de 2,5 cm de ancho.

Receta 139

Palo de menta

Para dos pastillas de 8 cm.

Base de fundido y vertido: 85 g de base de glicerina transparente.

Fragancia: 15 gotas de palo de caramelo.

Colorante: 3 gotas de blanco, 2 gotas de rojo, 2 gotas de verde.

Moldes: tubo redondo de 1,90 cm.

Véanse "Jabones con capas" y "Jabones moldeados de tubo" de la sección de Técnicas para diseñar y siga estas instrucciones:

1. Ponga el molde en una taza. Incline el molde a 45 grados.
2. Vierta 30 g de base de glicerina transparente con 3 gotas de colorante blanco y 5 gotas de aceite de fragancia de palo de canela. Déjelo reposar.
3. Vierta 30 g de base de glicerina transparente con 2 gotas de colorante rojo y 5 gotas de aceite de fragancia de palo de caramelo. Déjelo reposar.
4. Vierta 30 g de base de glicerina transparente con 2 gotas de colorante verde y 5 gotas de aceite de fragancia de palo de caramelo. Déjelo reposar.
5. Repita las capas, dejando que se asiente la parte del medio de cada una. Cuando haya reposado completamente, saque el jabón y córtelo a la mitad para crear dos tubos de 8 cm.

Receta 140

Ajedrezado caprichoso

Para dos pastillas.

Base de fundido y vertido: 140 g de base de glicerina transparente, 140 g de base de glicerina blanqueada.

Fragancia: 10 gotas de crema de manteca, 10 gotas de ylang-ylang.

Colorante: 5 gotas de amarillo, 3 gotas de azul.

Moldes: dos moldes cuadrados de 140 g.

Véase "Jabones con áreas de color definidas" de la sección de Técnicas para diseñar y siga estas instrucciones:

1. Vierta la base de glicerina blanqueada con 5 gotas de colorante amarillo y 10 gotas de fragancia de crema de manteca en uno de los moldes. Deje asentar y saque el jabón.
2. Corte la pastilla con líneas angulares para crear 16 piezas. Coloque con cuidado las demás piezas en uno de los moldes. Coloque las piezas restantes en el segundo molde.
3. Vierta la base de glicerina transparente con 5 gotas de colorante azul y 10 gotas de fragancia de ylang-ylang en los espacios vacíos de cada molde. Deje asentar y saque el jabón.

135
134
133

Jabones exfoliantes

Las recetas 141 y 142 se elaboran vertiendo base para jabones derretida alrededor de un trozo de luffa (una esponja natural miembro de la familia de las plantas cucurbitáceas). Un molde de tubo redondo elabora jabones circulares a la perfección. Simplemente coloque el trozo de luffa en el molde y vierta el jabón fundido dentro y alrededor.
Deje que repose y saque el jabón. Recorte los bordes.

Receta 141

Redondeles naturales de luffa

Para dos piezas, 2,5 cm de ancho.

Base de fundido y vertido: 170 g de base de glicerina transparente (85 g por cada trozo de luffa).

Fragancia: 10 gotas de camomila.

Aditivos: 2 trozos, 2,5 cm de ancho, de luffa natural.

Moldes: moldes redondos o moldes de tubo para que se ajusten a los trozos de luffa.

Véase "Jabones con esponjas incrustadas" de la sección de Técnicas para diseñar.

Receta 142

Redondeles coloreados de luffa

Dos piezas, una de cada color.

Base de fundido y vertido: 170 g de base de glicerina transparente (85 g por cada trozo).

Fragancia: 10 gotas de manzana verde (para el trozo verde), 10 gotas de frambuesa (para el trozo rosa).

Aditivos: 1 trozo de luffa coloreado de verde de 2,5 cm, 1 trozo de luffa coloreado de rosa de 2,5 cm.

Moldes: moldes redondos o moldes de tubo para que se ajusten a los trozos de luffa.

Véase "Jabones con esponjas incrustadas" de la sección de Técnicas para diseñar.

Receta 143

Formas de luffa rosa

Para dos piezas de 2,5 cm.

Base de fundido y vertido: 170 g de base de glicerina transparente (85 g por cada trozo).

Fragancia: 20 gotas de fresa.

Aditivos: una pizca de polvos iridiscentes, dos trozos de luffa coloreada rosa de 2,5 cm.

Moldes: tubo de corazón de 8 cm, tubo de capullo de 8 cm.

Véase "Jabones con esponjas incrustadas" de la sección de Técnicas para diseñar y las instrucciones anteriores de esta sección.

Receta 144

Formas de luffa rosa

Para dos piezas.

Base de fundido y vertido: 170 g de base de glicerina transparente (85 g por cada trozo).

Fragancia: 20 gotas de menta de hierba.

Aditivos: un trozo de luffa coloreada verde de 2,5 cm.

Moldes: tubo de mariposa de 8 cm, tubo ovalado de 9 cm.

Véase "Jabones con esponjas incrustadas" de la sección de Técnicas para diseñar y las instrucciones anteriores de esta sección.

TRUCOS

- Es más fácil cortar la luffa en trozos antes de verter el jabón que poner un trozo entero de luffa en el molde y cortarlo después de que el jabón se haya asentado.
- Las recetas 143 y 144 se elaboran moldeando las esponjas de luffa en formas. Para hacerlas, impregne los trozos de luffa en agua caliente durante 10 minutos. Ponga la esponja ablandada en el molde de tubo. Deje que se seque durante la noche antes de preparar el molde y verter el jabón.

141
142
144
144
143

Jabones colgantes

La Soap Tassel® es la novedad creativa del maestro de jabones Sandy Maine. Si añade fragancia extra a las cuentas de jabón, puede usarlos como purificadores de aire.

Receta 145

Soap Tassel® de aceitunas y pepinillos

Base de fundido y vertido: 170 g de base de glicerina transparente.

Fragancia: 10 gotas de lima.

Colorante: 8 gotas de verde, 2 gotas de blanco, 1 gota de rojo.

Moldes: tubo redondo de 4 cm, tubo de capullo de 4 cm.

Otros materiales: lazo de satén fino amarillo de 90 cm, pajita de plástico.

Véase "Cuentas de jabón" de la sección de Técnicas para diseñar y siga estas instrucciones:

1. **Aceitunas:** Ponga una pajita en la base preparada del molde redondo de 1,90 cm. Vierta 30 g de base de glicerina transparente con 3 gotas de colorante verde, 2 gotas de blanco y 1 gota de rojo para obtener la tonalidad aceitunada. Deje que se asiente. Saque la pajita y rellene el agujero con 15 g de base con 1 gota de colorante rojo. Deje asentar y saque el jabón. Corte para hacer aceitunas.
2. **Encurtidos:** Funda el resto y la base y añada 5 gotas de verde. Moldee en el tubo de capullo. Corte la columna de jabón con el cuchillo para crear los pepinillos.
3. Cosa las cuentas de jabón en el lazo.

Receta 146

Soap Tassel® Rosa

Base de fundido y vertido: 170 g de glicerina transparente, 170 g de glicerina blanqueada y 170 g de glicerina rosa.

Fragancia: 10 gotas de rosa, 10 gotas de talco.

Colorante: 5 gotas de azul.

Moldes: molde rectangular para 85 g, tubo de corazón de 4 cm.

Otros materiales: lazo de satén fino blanco de 60 cm.

Véase "Cuentas de jabón" de la sección de Técnicas para diseñar y siga estas instrucciones:

1. Elabore una pastilla de capas en el molde rectangular con la base blanca y azul y la fragancia de talco. Deje asentar y saque el jabón. Corte cubos de 4 cm del jabón con capas.
2. Corte cubos de 2,5 cm de base de jabón rosa (sin moldear).
3. Moldee la base blanca y la fragancia rosa en el tubo de corazón. Deje asentar, saque el jabón y córtelo.
4. Cosa las cuentas de jabón en el lazo.

Receta 147

Soap Tassel® Floral

Base de fundido y vertido: 170 g de glicerina transparente, 170 g de glicerina blanqueada y 170 g de glicerina rosa.

Fragancia: 10 gotas de madreselva.

Colorante: 3 gotas de verde, 10 gotas de amarillo.

Moldes: tubo redondo de 2 cm, tubo de corazón de 4 cm, tubo de capullo de 4 cm.

Otros materiales: pintura roja para jabones, lazo de satén fino amarillo de 60 cm.

Véanse "Cuentas de jabón" y "Jabones pintados" de la sección de Técnicas para diseñar y siga estas instrucciones:

1. Moldee los capullos blancos y amarillos. Corte. Resalte las cuentas de capullo con un punto de pintura roja.
2. Moldee la base verde en el tubo de corazón. Deje asentar y corte. Corte el corazón verde a la mitad para crear las hojas.
3. Moldee la base amarilla en el tubo redondo.
4. Cosa las cuentas de jabón en el lazo.

Receta 148

Soap Tassel® de Estrella

Base de fundido y vertido: 170 g de glicerina transparente, 170 g de glicerina blanqueada y 170 g de glicerina rosa.

Fragancia: 10 gotas de almizcle.

Colorante: amarillo, azul.

Moldes: tubo redondo de 4 cm, tubo de estrella de 4 cm.

Otros materiales: lazo de satén fino amarillo de 60 cm.

Véase "Cuentas de jabón" de la sección de Técnicas para diseñar.

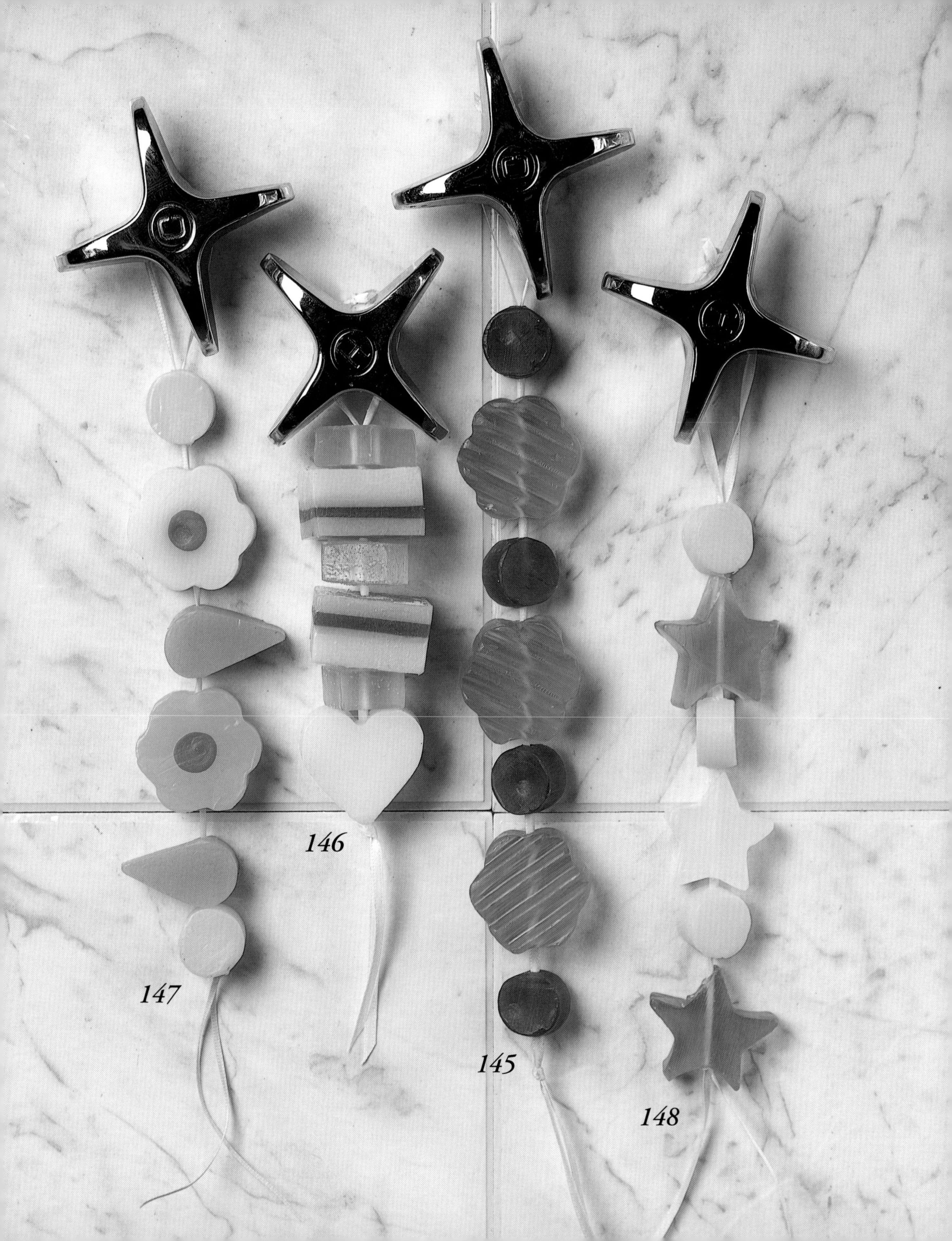
146
147
145
148

Formas con capas

Los jabones con capas son sencillos y divertidos y se elaboran con láminas de jabón, que puede adquirir o hacer usted con bases de fundido y vertido. Véase "Jabones con capas" de la sección de Técnicas para diseñar. Las formas se pueden cortar con moldes para galletas.

Receta 149

Estrellas

Láminas de jabón: rojo, azul, blanco, verde.

Moldes: estrella pequeña, estrella grande, estrella fugaz.

Véase "Formas con capas" de la sección de Técnicas para diseñar.

Para crear la estrella patriótica, apile una estrella grande blanca, una estrella grande roja y una estrella pequeña azul.

Para crear la estrella fugaz, apile una estrella grande blanca, una estrella fugaz azul, una estrella fugaz verde y una estrella pequeña blanca.

Receta 150

Flores

Láminas de jabón: rojo, verde, amarillo.

Moldes: estrella grande, flor con pétalos grande, flor con pétalos pequeña.

Véase "Formas con capas" de la sección de Técnicas para diseñar.

Para crear la flor roja, apile una estrella grande amarilla, una flor grande verde (cortada en cinco formas de hojas), una flor grande roja y una flor pequeña amarilla.

Para crear la flor amarilla, apile una flor grande amarilla, una flor grande verde (cortada en cinco formas de hojas), una flor grande amarilla y una flor pequeña roja.

Receta 151

Círculo de arco iris

Láminas de jabón: rojo, amarillo, verde, azul.

Molde: grande redondo.

Véase "Formas con capas" de la sección de Técnicas para diseñar.

Para crear el arco iris, apile un círculo rojo, otro amarillo, otro verde y otro azul.

Receta 152

Arco iris

Láminas de jabón: rojo, amarillo, verde, azul.

Otros materiales: banda de goma.

Véase "Formas con capas" de la sección de Técnicas para diseñar.

Para crear el arco iris, corte tiras de 2 cm por 12,5 cm de cada color. Caliente y apile las tiras. Cuando estén todavía calientes, forme un arco con ellas y sujételas con una goma mientras se enfría. Si es necesario, recorte los bordes en un ángulo.

Jabones de tesoros

Los jabones de tesoro tienen objetos moldeados en el jabón. Cuando el jabón se termina el tesoro permanece. Esto hace que sean estupendos regalos para los niños.

Receta 153

Tesoro con cara feliz

Para una pastilla de jabón.

Base de fundido y vertido: 30 g de base de jabón rosa fluorescente, 30 g de glicerina transparente.

Fragancia: 10 gotas de fresa.

Moldes: molde con forma de bóveda redonda para 55 g.

Otros materiales: gomas de borrar con flores de cara feliz.

Véase "Jabones con incrustaciones" de la sección de Técnicas para diseñar.

Receta 154

Tesoro de pez tropical

Para una pastilla de jabón.

Base de fundido y vertido: 30 g de base de glicerina transparente, 30 g de base de glicerina blanqueada.

Fragancia: 10 gotas de mango.

Colorante: 3 gotas de púrpura.

Moldes: molde con forma de bóveda redonda para 55 g.

Otros materiales: gomas de borrar con peces tropicales.

Véase "Jabones con incrustaciones" de la sección de Técnicas para diseñar.

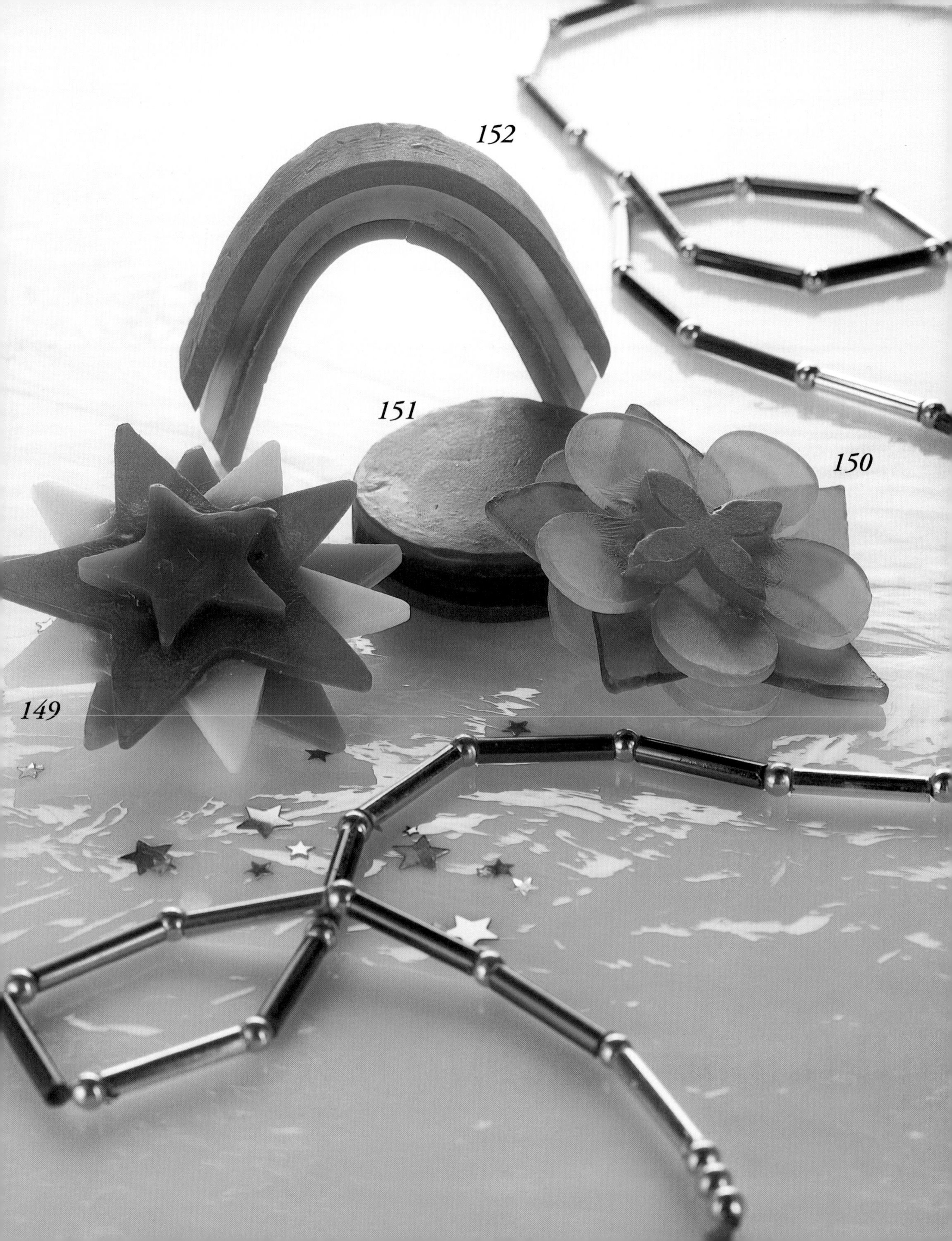
152
151
150
149

Receta 155
Tesoro de mariposa

Para una pastilla.

Base de fundido y vertido: 30 g de base de glicerina transparente, 55 g de base de glicerina blanqueada.

Fragancia: 15 gotas de papaya.

Colorante: 3 gotas de azul.

Moldes: molde con forma de bóveda redonda para 85 g.

Otros materiales: mariposa de plástico.

Véase "Jabones con incrustaciones" de la sección de Técnicas para diseñar.

Receta 156
Tesoro de rana

Para una pastilla.

Base de fundido y vertido: 55 g de base de glicerina transparente, 30 g de base de glicerina blanqueada.

Fragancia: 15 gotas de pomelo.

Colorante: 4 gotas de verde.

Aditivos: una pizca de polvos iridiscentes.

Moldes: molde con forma de bóveda redonda para 55 g.

Otros materiales: rana de plástico.

Véase "Jabones con incrustaciones" de la sección de Técnicas para diseñar.

159

Receta 157
Dino en un dino

Esta receta es cortesía de Environmental Technologie. Para una pastilla.

Base de fundido y vertido: 55 g de base de glicerina transparente.

Fragancia: 10 gotas de zarzamora.

Colorante: 2 gotas de verde.

Moldes: molde de dinosaurio para 55 g.

Otros materiales: dinosaurio de plástico.

Véase "Jabones con incrustaciones" de la sección de Técnicas para diseñar.

Receta 158
Pato de goma

Esta receta es cortesía de Environmental Technologie. Para una pastilla.

Base de fundido y vertido: 55 g de base de glicerina transparente.

Fragancia: 10 gotas de polvos de talco.

Colorante: 2 gotas de azul.

Tesoro: pato de goma.

Moldes: molde redondo para 55 g.

Otros materiales: pato de goma.

Véase "Jabones con incrustaciones" de la sección de Técnicas para diseñar. Coloque el patito de goma en el jabón justo después de verterlo.

Receta 159
Brillo floral

Para dos pastillas.

Base de fundido y vertido: 140 g de base de glicerina transparente.

Fragancia: 15 gotas de lirio de los valles, 10 gotas de lluvia.

Aditivos: una pizca de polvos iridiscentes, pétalos de flores de seda sin las piezas duras.

Moldes: molde de tubo de 6 cm, molde de tubo de 8 cm.

Véanse "Jabones de molde de tubo" y "Jabones con incrustaciones" de la sección de Técnicas para diseñar. Verter la base en los moldes de tubo preparados y meter después las flores de seda. Dejar asentar, sacar y recortar el jabón.

Jabones en jabones

Muchos jabones pequeños, como las formas hechas con moldes de bandeja, se pueden utilizar como aditivos o incrustaciones en pastillas más grandes. Puede elaborar los jabones moldeados pequeños usando muchas de las recetas de este libro o adquiriéndolos. Después, se colocan los jabones pequeños en un molde más grande y se añade la glicerina transparente. Cuando se han solidificado, puede ver las formas incrustadas.

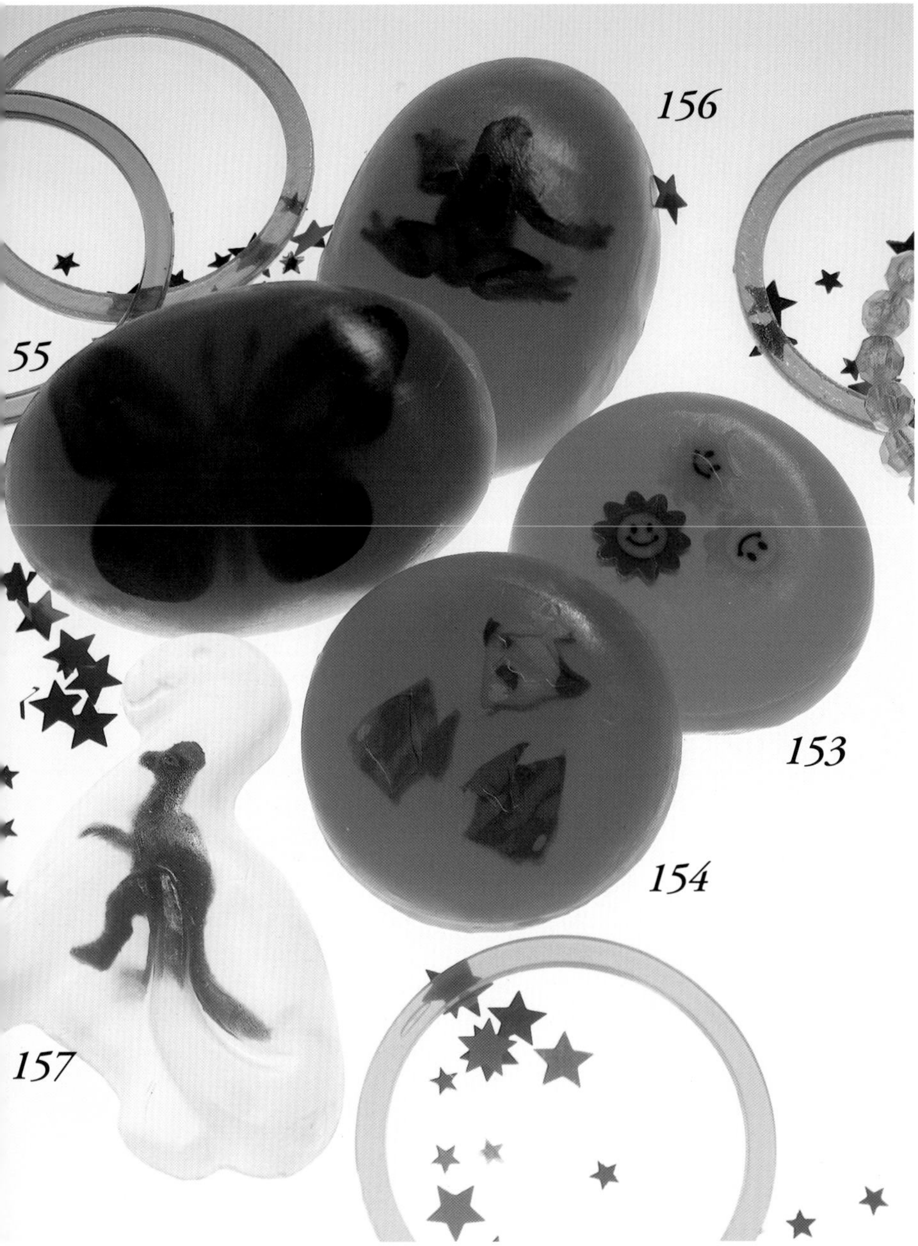

Receta 160

Motivos del océano

Para dos pastillas.

Base de fundido y vertido: 170 g de base de glicerina transparente.

Fragancia: 15 gotas de brisa del océano.

Aditivos/incrustaciones: motivos marinos moldeados en azul, blanco y verde.

Moldes: molde rectangular para 85 g.

Véase "Jabones en jabones" de la sección de Técnicas para diseñar.

Receta 161

Copos de nieve brillantes

Para dos pastillas.

Base de fundido y vertido: 170 g de base de glicerina transparente.

Fragancia: 15 gotas de acebo americano.

Aditivos/incrustaciones: copos de nieve moldeados con polvos iridiscentes.

Moldes: molde redondo para 85 g.

Véase "Jabones en jabones" de la sección de Técnicas para diseñar.

Receta 162

Limón funky

Para una pastilla.

Base de fundido y vertido: 85 g de base de glicerina transparente.

Fragancia: 15 gotas de limón.

Aditivos/incrustaciones: jabón de limón de doble moldeado.

Moldes: molde ovalado para 85 g.

Véase "Jabones en jabones" de la sección de Técnicas para diseñar.

158
160
161
162

Jabones en bolsa

Los jabones en bolsa contienen piezas coloridas de jabón, juguetes u otros objetos con base de glicerina transparente vertida a su alrededor. Se moldean en una bolsa de plástico que también es el empaquetado. Cuando están preparados para su uso, se sacan de la bolsa.

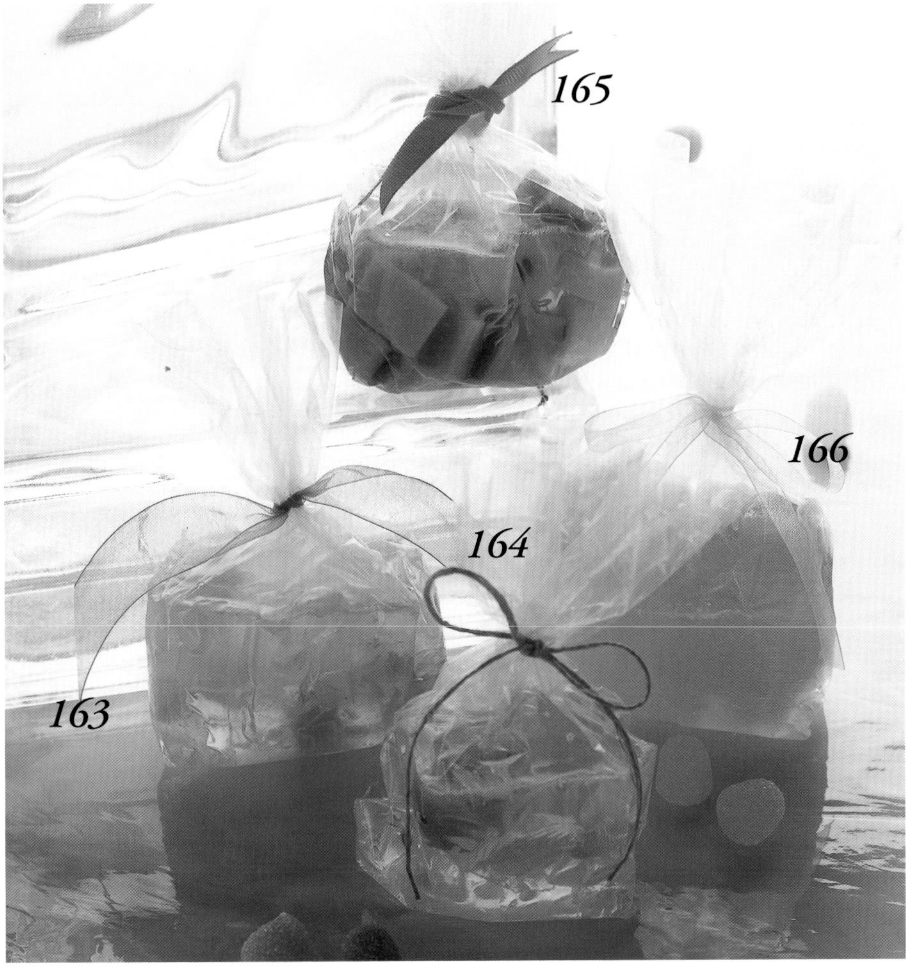

Receta 163

Bolsa de caramelo de gelatina

Base de fundido y vertido: 170 g de base de glicerina transparente.

Fragancia: 10 gotas de zarzamora, 10 gotas de manzana verde.

Incrustaciones: cubos de jabón rojos, rosas, amarillos y blancos.

Moldes: bolsa de plástico en un molde de tubo.

Véase "Jabones en bolsa" de la sección de Técnicas para diseñar.

Receta 164

Carpa dorada en una bolsa

Base de fundido y vertido: 170 g de base de glicerina transparente.

Fragancia: 15 gotas de lluvia.

Incrustaciones: 2 peces de colores de plástico.

Moldes: bolsa de plástico en un molde de tubo.

Véase "Jabones en bolsa" de la sección de Técnicas para diseñar.

Receta 165

Bolsa de caramelo de regaliz

Base de fundido y vertido: 170 g de base de glicerina transparente.

Fragancia: 15 gotas de anís.

Incrustaciones: jabones variados.

Moldes: bolsa de plástico en un molde de tubo.

Véase "Jabones en bolsa" de la sección de Técnicas para diseñar y siga estas instrucciones:

1. Haga los caramelos de regaliz colocando en capas base naranja, negra y amarilla en un molde rectangular de 85 g.
2. Haga el regaliz redondo pero con el centro negro en redondeles amarillos y rosas.

Receta 166

Corazones de caramelo

Base de fundido y vertido: 170 g de base de glicerina transparente.

Fragancia: 10 gotas de canela, 10 gotas de fresa.

Incrustaciones: trozos de jabón con forma de corazón blancos, rosas y rojos.

Moldes: bolsa de plástico en un molde de tubo.

Véase "Jabones en bolsa" de la sección de Técnicas para diseñar.

Jabones de burbujas

Estas combinaciones de sales de baño y jabones perfumados son fantásticas para disfrutar y divertidas de realizar.

Receta 167

Jabón para baño de burbujas rosa inglesa

Para el jabón:

Base de fundido y vertido: 115 g de base de glicerina transparente.

Fragancia: 10 gotas de rosa inglesa.

Colorante: 5 gotas de rojo.

Moldes: molde rectangular para 55 g.

Para el baño espumoso:

Sales de baño: 1/2 cucharada de sales de baño de burbujas.

Fragancia: 10 gotas de vainilla.

Otros materiales: capullo de rosa de seda pequeño.

Véase "Jabones en bolsa" de la sección de Técnicas para diseñar y siga estas instrucciones:

1. Moldee el jabón. Deje asentar y saque el jabón.
2. Mezcle las sales de baño de burbujas con el aceite de fragancia de vainilla.
3. Moldee las sales de baño alrededor de la pastilla de jabón, empaquete las sales fuertemente.
4. Resalte la superficie con un capullo de rosa de seda pequeño.

Receta 168

Trufa de baño de chocolate

Para el jabón:

Base de fundido y vertido: 85 g de base de glicerina blanqueada.

Fragancia: 10 gotas de chocolate, 5 gotas de vainilla.

Colorante: 5 gotas de rojo.

Moldes: molde de tubo de corazón de 4 cm.

Para el baño espumoso:

Sales de baño: 1/2 cucharada de sales de baño de burbujas.

Fragancia: 10 gotas de vainilla.

Moldes: molde de corazón para 30 g.

Véase "Jabones en bolsa" de la sección de Técnicas para diseñar y siga estas instrucciones:

1. Haga el jabón. Deje asentar y saque el jabón. Corte 1,3 cm de ancho.
2. Mezcle las sales.
3. Coloque una pequeña cantidad de sales en el fondo del tubo de corazón de 30 g. Añada un trozo de jabón con forma de corazón. Rellene el molde con más sales. Compacte las sales con firmeza. Ponga en un trozo de cartulina y deje secar.

Receta 169

Jabón de baño de burbujas de crema de vainilla

Para el jabón:

Base de fundido y vertido: 55 g de base de glicerina transparente.

Fragancia: 5 gotas de crema de vainilla.

Colorante: 3 gotas de azul.

Moldes: molde de disco para 15 g.

Para el baño espumoso:

Sales de baño: 1/2 taza de sales de baño de burbujas.

Fragancia: 10 gotas de crema de vainilla.

Colorante: 5 gotas de naranja.

Moldes: de 55 g, estrella con cara.

Véase "Jabones en bolsa" de la sección de Técnicas para diseñar y siga estas instrucciones:

1. Haga el jabón. Deje asentar y saque el jabón.
2. Mezcle las sales.
3. Coloque una pequeña cantidad de sales en el fondo del molde de estrella. Añada un disco de jabón. Rellene el molde con más sales. Compacte las sales con firmeza. Ponga en un trozo de cartulina y deje secar.

Receta 170

Jabón de baño de burbujas de especias de naranja

La foto muestra el jabón que está dentro de la bola de jabón de burbujas.

Para el jabón:

Base de fundido y vertido: 85 g de base de aceite de coco.

Fragancia: 10 gotas de naranja de canela.

Colorante: 3 gotas de naranja.

Moldes: molde redondo de 3 dimensiones.

Para el baño espumoso:

Sales de baño: 1/2 taza de sales de baño de burbujas.

Fragancia: 10 gotas de naranja de canela.

Colorantes: 5 gotas de naranja.

Aditivos: 1/2 cucharada de canela en polvo.

Otros materiales: clavo (de especia) entero.

Véase "Jabones en bolsa" de la sección de Técnicas para diseñar y siga estas instrucciones:

1. Haga el jabón. Deje asentar y saque el jabón.
2. Mezcle las sales.
3. Coloque las sales alrededor de la bola de jabón, compactando las sales con firmeza.
4. Resalte la superficie con un clavo entero.

170
168
167
169

Jabones con incrustaciones

Los jabones de esta sección utilizan trozos de jabón de láminas y piezas cortadas de fragmentos de jabón para embellecer pastillas. Es una forma estupenda de aprovechar el material que sobra.

Receta 171

Piel de pepino

Para dos pastillas.

Base de fundido y vertido: 230 g de base de glicerina transparente.

Fragancia: 20 gotas de pepino.

Aditivos: virutas blancas y verdes cortadas de láminas de jabón.

Moldes: molde rectangular para 115 g.

Véase "Jabones en jabones" de la sección de Técnicas para diseñar.

Receta 172

Virutas del océano

Para dos pastillas.

Base de fundido y vertido: 230 g de base de glicerina azul opaca.

Fragancia: 15 gotas de brisa de océano.

Colorante: 4 gotas de azul.

Aditivos: virutas de jabón cortadas de base de glicerina transparente.

Moldes: molde rectangular para 115 g.

Véase "Jabones en jabones" de la sección de Técnicas para diseñar.

Receta 173

Espiral de corazón

Para dos pastillas.

Base de fundido y vertido: 140 g de base de glicerina transparente.

Fragancia: 10 gotas de especia de baya del laurel.

Colorante: 3 gotas de rojo.

Aditivos: fideos de jabón opaco púrpura, fideos de jabón opaco rosa.

Moldes: moldes de corazón para 55 g y para 85 g.

Véase "Jabones en jabones" de la sección de Técnicas para diseñar.

Receta 174

Virutas

Para dos pastillas.

Base de fundido y vertido: 170 g de base de glicerina blanqueada.

Fragancia: 10 gotas de arándano.

Aditivos: virutas de jabón rojas, virutas de jabón azules.

Moldes: molde ovalado para 85 g.

Véase "Jabones en jabones" de la sección de Técnicas para diseñar.

178
177
175
176

Receta 175
Triángulos

Para dos pastillas, cortar el cuadrado a la mitad en diagonal.

Base de fundido y vertido: 140 g de base de glicerina blanqueada.

Fragancia: 10 gotas de zarzamora.

Aditivos: virutas verdes, amarillas y rojas cortadas de láminas de jabón.

Moldes: molde cuadrado para 140 g.

Véase "Jabones en jabones" de la sección de Técnicas para diseñar.

Receta 176
Canicas

Para dos pastillas.

Base de fundido y vertido: 170 g de base de glicerina transparente.

Fragancia: 15 gotas de bubblegum.

Aditivos: fragmentos de láminas de jabón de diferentes colores.

Moldes: molde redondo en 3 dimensiones.

Véase "Jabones en jabones" de la sección de Técnicas para diseñar y siga estas instrucciones:

1. Use los fragmentos de las láminas para rellenar todos los lados del molde redondo de dos partes de 3 dimensiones.
2. Vierta la base transparente. Deje asentar y saque el jabón

Receta 177
Multicolor

Para una pastilla.

Base de fundido y vertido: 115 g de base de glicerina transparente.

Fragancia: 10 gotas de albaricoque.

Aditivos: fragmentos de láminas multicolor.

Moldes: molde rectangular para 115 g.

Véase "Jabones en jabones" de la sección de Técnicas para diseñar.

Receta 178
Flor Funky

Para una pastilla.

Base de fundido y vertido: 85 g de base de glicerina transparente.

Fragancia: 8 gotas de madreselva.

Aditivos: flor de jabón cortada de la lámina azul con un recorte de flor de pétalos grandes.

Moldes: tubo redondo de 6 cm.

Véase "Jabones en jabones" de la sección de Técnicas para diseñar. Cortar un trozo con un cuchillo para resaltar.

Jabones pintados de puntitos

La pintura de puntitos es una técnica fácil para embellecer sus jabones.

Receta 179
Rosa de puntitos

Para dos pastillas.

Base de fundido y vertido: 170 g de base de glicerina rosa opaca.

Fragancia: 10 gotas de rosa victoriana.

Moldes: molde redondo para 85 g.

Véase "Jabones pintados" de la sección de Técnicas para diseñar.

Receta 180
Lavanda de puntitos

Para dos pastillas.

Base de fundido y vertido: 170 g de base de color lavanda opaca.

Fragancia: 10 gotas de lavanda.

Moldes: molde rectangular para 85 g.

Véase "Jabones pintados" de la sección de Técnicas para diseñar.

Receta 181
Margarita de puntitos

Para dos pastillas.

Base de fundido y vertido: 230 g de base de color azul opaco.

Fragancia: 10 gotas de lluvia china.

Moldes: molde ovalado para 115 g.

Véase "Jabones pintados" de la sección de Técnicas para diseñar.

Receta 182
Malvarrosa de puntitos

Para una pastilla.

Base de fundido y vertido: 140 g de base de color amarillo opaco.

Fragancia: 10 gotas de lirio de los valles.

Moldes: molde cuadrado para 140 g.

Véase "Jabones pintados" de la sección de Técnicas para diseñar.

182
180
179
181

Jabones para la ducha

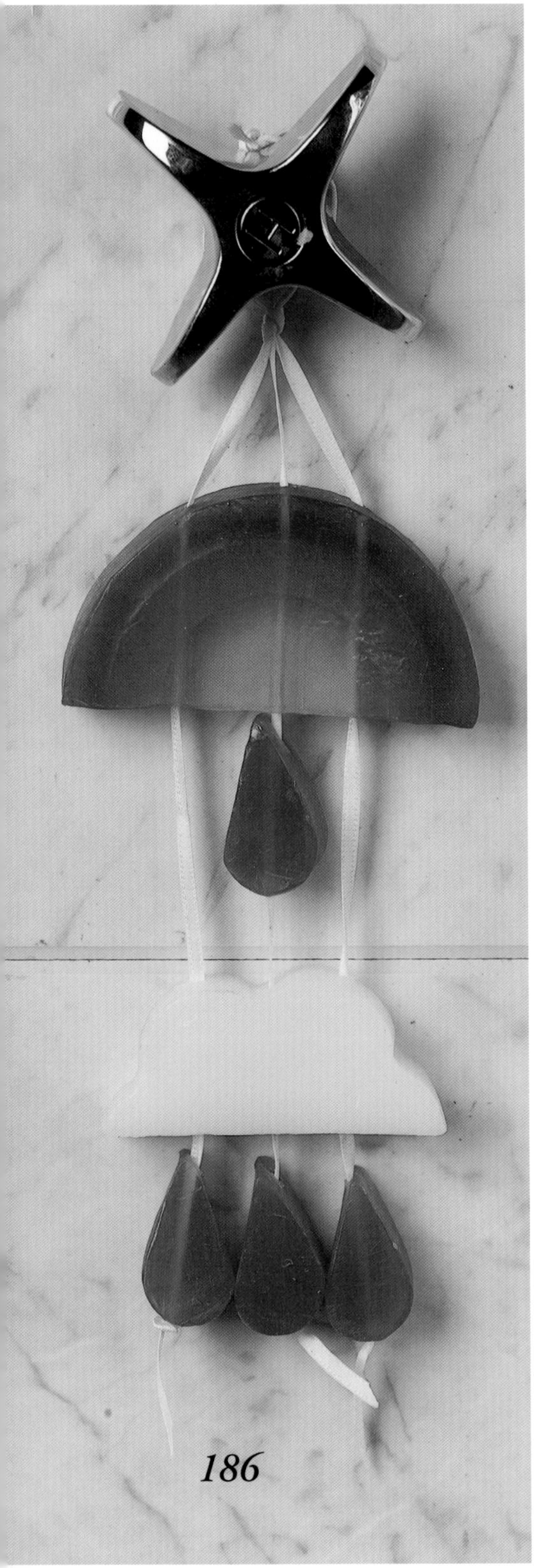

Estos jabones son útiles en la ducha, ya que puede colgarlos eliminando la necesidad de las jaboneras.

Receta 183

Jabón esculpido en cordón

Para una pastilla.

Base de fundido y vertido: 140 g de base de glicerina transparente.

Fragancia: 20 gotas de lila.

Colorante: 23 gotas de azul, 3 gotas de verde, 2 gotas de blanco (para una tonalidad verde azulada translúcida).

Aditivos: trozos de jabón púrpura y verde transparente, cordón de nailon de 90 cm.

Moldes: molde de tubo ovalado de 8 cm.

Véanse "Jabones en trozos" y "Jabones tallados" de la sección de Técnicas para diseñar y siga estas instrucciones:

1. Haga el jabón. Deje asentar y sáquelo.
2. Talle el jabón con una forma ligeramente ovalada.
3. Pase una hebra de hilo por el ojo de una aguja grande. Enrolle un cordón de nailon alrededor del hilo y pase ambos a través del jabón.
4. Tire el hilo. Ate el cordón para sujetar el jabón.

Receta 184

Naranja en cordón

Para una pastilla.

Base de fundido y vertido: 230 g de base de aceite de coco.

Fragancia: 20 gotas de canela de naranja.

Colorante: 5 gotas de mostaza china.

Aditivos: cordón de nailon verde de 90 cm, 1 hoja de seda.

Moldes: molde de vela redondo y grande en 3 dimensiones.

Otros materiales: pajita de plástico.

Siga estas instrucciones:

1. Haga el jabón. Viértalo en un molde. Sujete el molde de dos partes juntos con una pajita de plástico en el centro. Deje que se asiente y saque el jabón.
2. Quite la pajita y haga un agujero en la bola de jabón. Pase el cordón verde por el agujero y ate los extremos.
3. Haga un agujero pequeño en la punta de la hoja de seda y pase el cordón para que quede en la parte de arriba de la bola.

Receta 185

Concha en cordón

Para una pastilla.

Base de fundido y vertido: 115 g de base de aceite de coco.

Fragancia: 10 gotas de coco, 10 gotas de jazmín.

Colorante: 6 gotas de azul.

Aditivos: cordón de nailon verde de 90 cm.

Moldes: 115 g molde de concha de goma.

Siga estas instrucciones:

Coloque el extremo atado del cordón en el jabón fundido después de verter el jabón en el molde. Deje que repose y saque el jabón.

Receta 186

Móvil de lluvia

Para una pastilla. El objeto móvil combina trozos de tres jabones moldeados de tubo.

Jabones: 1 pastilla de molde de tubo de arco iris, 1 pastilla de molde de tubo de nube, 4 pastillas de molde de tubo de gota de lluvia con colores y aromas a su gusto.

Otros materiales: tres piezas de 40 cm de lazo de satén blanco.

Véanse "Jabones moldeados de tubo" y "Cuentas de jabón" de la sección de Técnicas para diseñar. Cosa los trozos juntos para crear el objeto móvil.

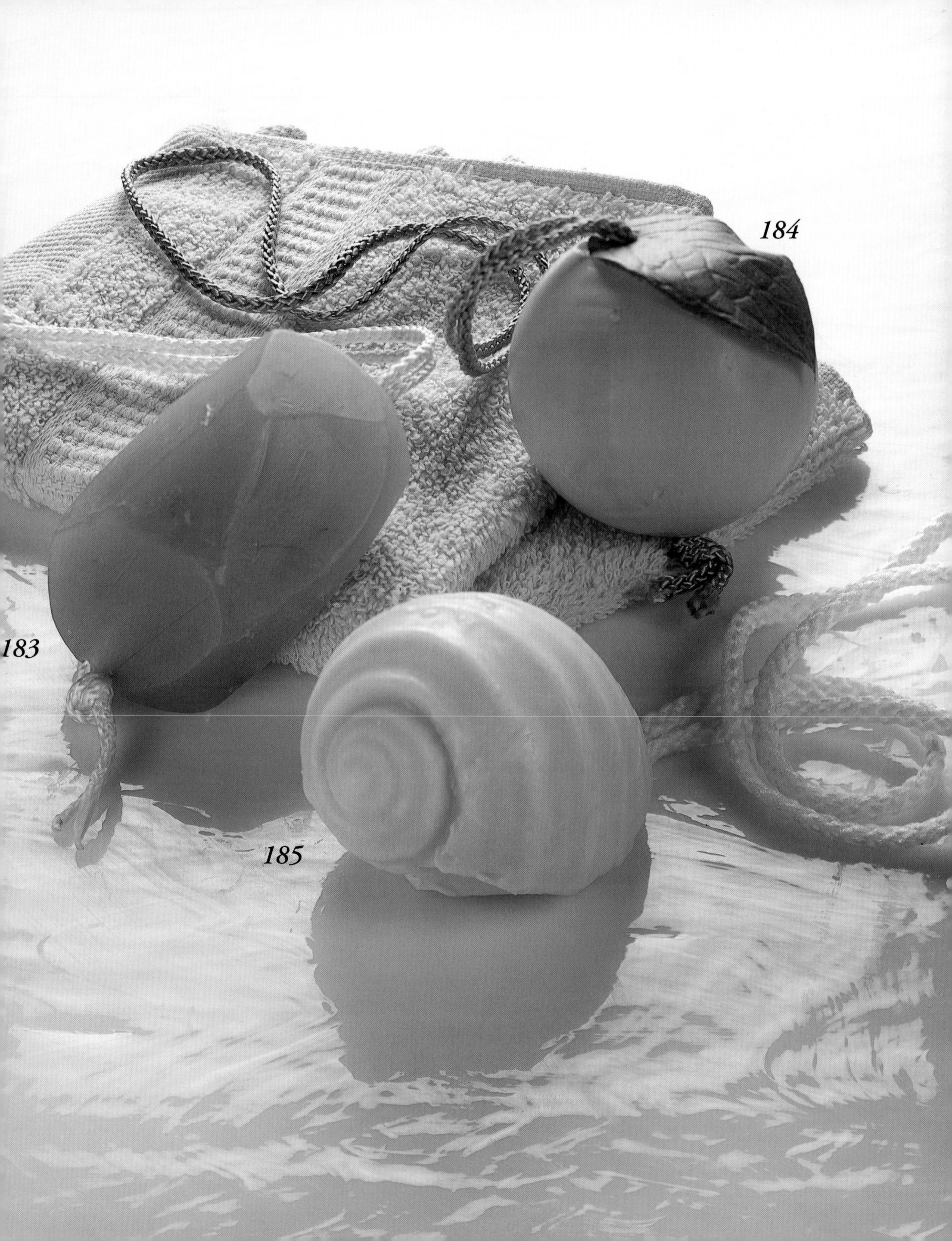
184
183
185

Jabones de pétalos y hojas

Las siguientes cuatro recetas son muy simples y emplean muy poca base para jabones. Las hojas o los pétalos de seda individuales se sumergen en una base transparente y aromática y se colocan en una lámina de papel de seda para que se asienten.
Precaución: Use sólo la parte sedosa y suave del pétalo o la hoja; elimine todos los trozos de plástico duro ante de sumergir el jabón.

Receta 187

Pétalos de rosa

Base de fundido y vertido: 55 g de base de glicerina transparente.

Fragancia: 10 gotas de rosa.

Moldes: 10 a 12 pétalos de rosa de seda.

Receta 188

Hojas caídas

Base de fundido y vertido: 55 g de base de glicerina transparente.

Fragancia: 10 gotas de arce mantequilloso.

Moldes: 10 a 12 pétalos de roble de seda.

Receta 189

Hojas de hierba

Base de fundido y vertido: 55 g de base de glicerina transparente.

Fragancia: 10 gotas de menta de hierba.

Moldes: 10 a 12 pétalos de seda verde.

Receta 190

Pétalos florales

Base de fundido y vertido: 55 g de base de glicerina transparente.

Fragancia: 10 gotas de lila.

Moldes: 6 a 8 pétalos de margarita de seda.

Jabones tallados, cortados y moldeados

Esta sección explica más ideas para obtener formas y combinaciones inusuales.

Receta 191

Puntos funky

Para dos pastillas.

Base de fundido y vertido: 170 g de base de glicerina transparente.

Fragancia: 20 gotas de pera-manzana.

Colorante: 3 gotas de verde, 3 gotas de rojo.

Moldes: molde ovalado para 85 g.

Siga estas instrucciones:

1. Moldee una pastilla de jabón verde con 85 g de base, 10 gotas de aceite de fragancias y colorante verde. Deje que se asiente y saque el jabón.
2. Moldee una pastilla de jabón rojo con 85 g de base, 10 gotas de aceite de fragancias y colorante rojo. Deje que se asiente y saque el jabón.
3. Con un sacabolas, obtenga una bola de jabón de cada pastilla.
4. Vierta un poco de base de jabón en los agujeros. Coloque la bola de jabón rojo en el agujero de la pastilla verde y la bola de jabón verde en el agujero de la pastilla roja.

Receta 192

Tiras funky

Para dos pastillas.

Base de fundido y vertido: 170 g de base de glicerina transparente, 55 g de base de glicerina blanqueada.

Fragancia: 10 gotas de *Christmas*.

Colorante: 3 gotas de verde, 3 gotas de rojo.

Moldes: molde rectangular para 85 g.

Siga estas instrucciones:

1. Moldee una pastilla de jabón verde con 85 g de base de glicerina transparente, 5 gotas de aceite de fragancias y colorante verde. Deje que se asiente y saque el jabón.
2. Moldee una pastilla de jabón rojo con 85 g de base de glicerina transparente, 5 gotas de aceite de fragancias y colorante rojo. Deje que se asiente y saque el jabón.
3. Corte las pastillas diagonalmente en tres trozos.
4. Recorte los bordes con un cúter. Ponga los trozos de nuevo en los moldes, dando la vuelta a los colores de las tiras del medio.
5. Vierta la base blanca en los espacios. Deje que repose y saque el jabón.

187
190
189
188

Receta 193

Jabón de lápiz de cera

Para dos pastillas.

Base de fundido y vertido: 85 g de base de aceite de coco.

Fragancia: arándano, fresa.

Colorante: 30 gotas de azul, 30 gotas de rojo.

Moldes: molde de tubo de plástico de 4,5 cm.

Véase "Jabones moldeados de tubo" de la sección de Técnicas para diseñar y siga estas instrucciones:

1. Vierta 45 g de jabón aromático de arándano de color azul en el molde preparado. Deje que repose y saque el jabón.
2. Vierta 45 g de jabón aromático de fresa de color rojo en el molde preparado. Deje que repose y saque el jabón.
3. Corte los tubos de jabón a la mitad para crear lápices de 8 cm. "Afile" uno de los extremos con un cuchillo para hacer una punta.

Receta 194

Jabón moldeable

Emplee jabón de aceite de coco y mezcle el jabón mientras se enfría. La maicena evita que se convierta en pastillas sólidas y la glicerina añadida le proporciona elasticidad. A los niños les encanta jugar con este tipo de jabón en la bañera porque se puede enrollar y moldear mientras se bañan.

Base de fundido y vertido: 115 g de base de aceite de coco.

Fragancia: 10 a 20 gotas de piña, naranja dulce o fresa.

Colorante: 4 a 8 gotas de amarillo, naranja o rojo.

Aditivos: 1 cucharada de maicena (más una cucharada extra para la mezcla), 1-1/2 cucharadas de glicerina líquida.

Siga estas instrucciones:

1. Mezcle la maicena, la glicerina líquida, el aceite de fragancias y el colorante en un cuenco de cristal pequeño.
2. Funda la base para jabones. Añada la mezcla de maicena aromatizada y coloreada.
3. Con un tenedor, remueva el jabón hasta que se enfríe y empiece a asentarse.
4. Dele la vuelta al jabón sobre un pedazo de papel de cera espolvoreado con maicena.
5. Embadurne sus manos con un poco de maicena y amase con cuidado el jabón frío hasta que se ablande, de forma que no queden grumos. Si el jabón se empieza a pegar a las manos, espolvoree más maicena.

Jabones prestados

He tomado prestadas las siguientes cuatro recetas para los próximos cuatro jabones de dos artistas del jabón: Maria Nerius y Katie Hacker.

Receta 195

Frambuesa refrescante de ron

Cortesía de mi buena amiga Maria Nerius.

Para dos pastillas.

Base de fundido y vertido: 170 g de base de aceite de coco, 30 g de base de glicerina transparente.

Fragancia: 10 gotas de chocolate, 15 gotas de frambuesa, 5 gotas de menta.

Colorante: 4 gotas de café (para obtener una tonalidad marrón), 2 gotas de rojo.

Moldes: tubo de plástico de flor de 8 cm.

Otros materiales: sacabolas.

Véase "Jabones moldeados de tubo" de la sección de Técnicas para diseñar y siga estas instrucciones:

1. Haga el jabón, deje que se asiente, sáquelo y córtelo.
2. Use el sacabolas para hacer un agujero en el medio del jabón. Llene el jabón con base transparente fundida coloreada con 2 gotas de rojo.

Receta 196

Gelatina enjoyada de Jim

Cortesía de mi buena amiga Maria Nerius.

Para dos pastillas.

Base de fundido y vertido: 115 g de base de glicerina transparente.

Aditivos: cubos de jabón rosa, blanco, rojo, azul y amarillo, perfumados.

Moldes: tubo de plástico redondo de 6 cm.

Véase "Jabones en trozos" de la sección de Técnicas para diseñar.

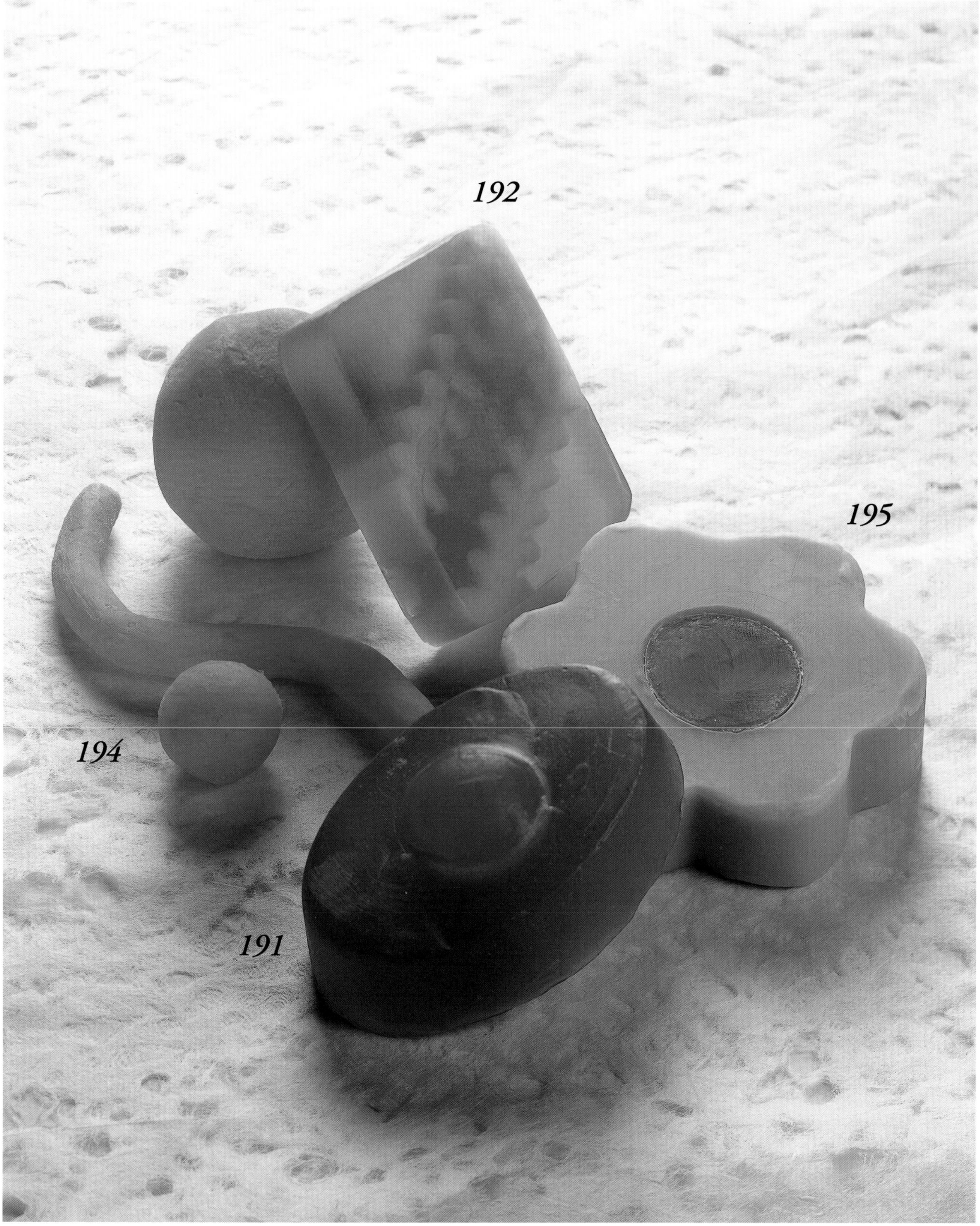
192
195
194
191

Receta 197

Parejas

Cortesía de Katie Hacker.

Para dos pastillas.

Base de fundido y vertido: 140 g de base de glicerina de pepino.

Colorantes: 4 gotas de verde.

Aditivos: 1/4 cucharada de cada de eucalipto seco, hierba de limón, menta y camomila; 1/2 cucharada de semillas de albaricoque molidas.

Moldes: dos moldes redondos de 85 g.

Siga estas instrucciones:

1. Funda 70 g de jabón y mézclelo con la mitad de los aditivos. Viértalo en un molde y deje que se asiente.
2. Sáquelo del molde y córtelo a la mitad. Ponga la mitad en cada molde.
3. Funda el jabón restante y mezcle con los aditivos. Añada colorante verde y viértalo en cada molde. Deje que se enfríe y sáquelo.

Receta 198

Tiras

Cortesía de Katie Hacker.

Para dos pastillas.

Base de fundido y vertido: 140 g de base de glicerina de pepino.

Fragancia: 2 gotas de preparado relajante, 2 gotas de preparado romántico de su elección.

Colorante: 4 gotas de azul.

Moldes: dos moldes en forma de bóvedas para 85 g.

Siga estas instrucciones:

1. Funda 70 g del jabón, añada la fragancia relajante y viértalo en el molde. Deje que se asiente y sáquelo.
2. Corte una tira de 1 cm del centro. Ponga la tira en el centro de un molde y las otras dos piezas en el otro.
3. Funda el jabón restante. Añada la fragancia romántica y el colorante azul. Viértalo en los moldes. Deje que se asiente y sáquelo.
4. Recorte los jabones con un cuchillo afilado, si es necesario.

Jabones cremosos

Receta 199

Pastilla de mantequilla

Para dos pastillas.

Base de fundido y vertido: 230 g de base de aceite de coco.

Fragancia: 10 gotas de crema de mantequilla.

Colorante: 4 gotas de amarillo.

Aditivos: 1 cucharada de mantequilla de karité, 1/2 cucharada de mantequilla de cacao, 1 cucharada de ácido cítrico.

Moldes: molde rectangular para 115 g.

Véase la Técnica básica. Mezcle la mantequilla de karité con la de cacao. Mézclelo con el ácido cítrico. Remueva bien. Añada la base fundida.

Receta 200

Jabón de mantequilla de cacao

Para dos pastillas.

Base de fundido y vertido: 230 g de base de glicerina transparente con leche de cabra.

Fragancia: 15 gotas de mantequilla de cacao.

Aditivos: 1 cucharada de mantequilla de cacao, 3 cápsulas de vitamina E.

Moldes: molde para 115 g.

Véase la técnica básica.

Receta 201

Ángel suave

Para cuatro pastillas de invitado.

Base de fundido y vertido: 170 g de base de aceite de coco.

Fragancia: 15 gotas de leche y miel.

Aditivos: 1/2 cucharada de mantequilla de leche en polvo, 1 cucharada de miel, 1/2 cucharada de ácido cítrico.

Moldes: moldes pequeños con formas elegantes.

Véase "Jabones con imágenes" de la sección de Técnicas para diseñar.

Jabones cremosos

Los aditivos como la leche en polvo y la manteca de cacao proporcionan una textura cremosa a su jabón.

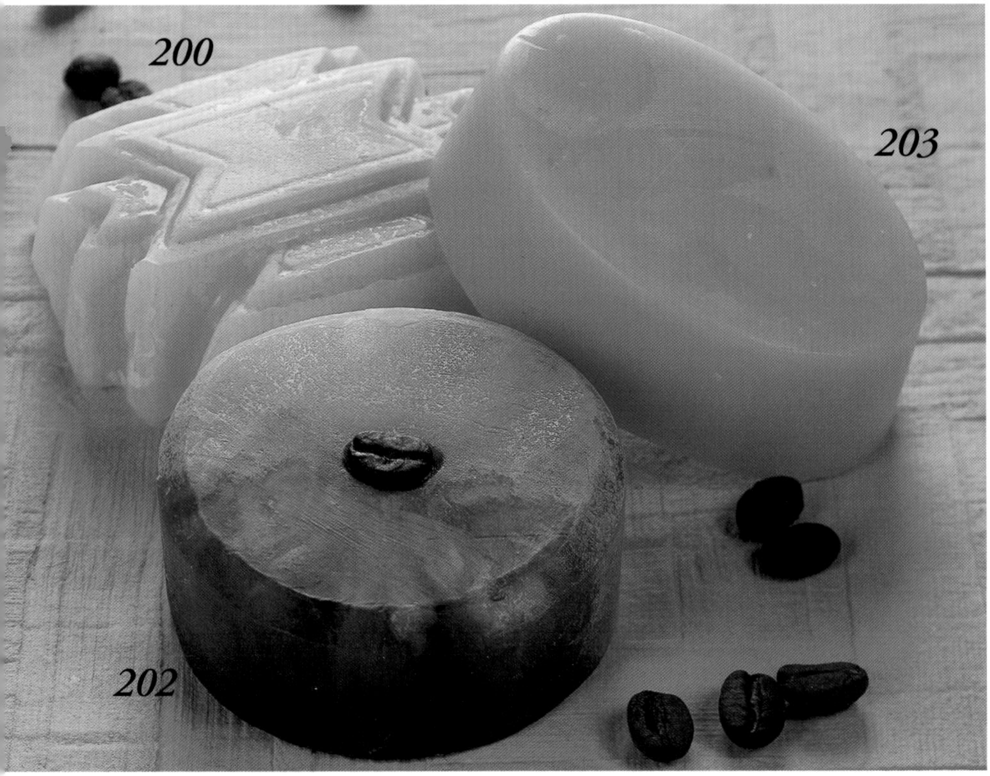

Receta 202
Crema de café

Para dos pastillas.

Base de fundido y vertido: 85 g de base de glicerina transparente, 85 g de base de glicerina blanqueada.

Fragancia: 10 gotas de vainilla en la base blanca, 10 gotas de expreso en la base transparente.

Colorante: 4 gotas de café en la base transparente.

Aditivos: 1/2 cucharada de leche en polvo entera, 2 cápsulas de vitamina E, 1 cucharada de glicerina líquida (a la base blanca).

Moldes: 85 g, redondo.

Otros materiales: granos de café enteros, biselador.

Véanse "Jabones amarmolados" y "Jabones con relieves decorativos" de la sección de Técnicas para diseñar. Bisele los bordes con el biselador y resáltelo con el grano de café.

Receta 203
Almendra cremosa

Para dos pastillas.

Base de fundido y vertido: 170 g de base de glicerina con leche de cabra.

Fragancia: 10 gotas de leche de almendras.

Colorante: 4 gotas de arena (para obtener una tonalidad marrón clara).

Aditivos: 1/2 cucharada de leche en polvo entera y 1/2 cucharada de harina de almendras mezclada con una cucharada de glicerina líquida.

Moldes: molde ovalado para 85 g.

Véase la Técnica básica.

Receta 204
Crema de romero

Para tres pastillas.

Base de fundido y vertido: 140 g de base de glicerina con aceite de oliva y suspensión.

Fragancia: 10 gotas de leche de romero.

Aditivos: 1/2 cucharada de romero en polvo, 1/2 cucharada de leche en polvo entera, 1 cucharada de glicerina líquida.

Moldes: molde rectangular pequeño con grabado para 45 g.

Véase la técnica básica.

Receta 205
Crema de pepino

Para dos trozos, 2,5 cm de ancho.

Base de fundido y vertido: 115 g de base de glicerina de pepino con fórmula de suspensión.

Fragancia: 20 gotas de aloe vera.

Aditivos: 1/2 cucharada de mantequilla de karité, 1/2 cucharada de leche de cabra en polvo, 1 cucharada de glicerina líquida, 6 gotas de extracto de semillas de pomelo.

Moldes: 6 cm, molde de tubo redondo.

Otros materiales: láminas de jabón verde.

Véanse "Jabones moldeados de tubo" de la sección de Técnicas para diseñar. Cubra el molde con las láminas de jabón verde antes de verterlo.

Receta 206
Bayas a la crema

Para dos pastillas.

Base de fundido y vertido: 85 g de base de glicerina blanqueada, 85 g de base de glicerina transparente.

Fragancia: 10 gotas de fresa (para la base blanca), 10 gotas de frambuesa (para la base transparente).

Colorante: 4 gotas de rojo (para la base transparente).

Aditivos: 1/2 cucharada de leche entera en polvo y 1 cucharada de glicerina líquida (para la base transparente).

Moldes: molde redondo para 85 g.

Véase "Jabones amarmolados" de la sección de Técnicas para diseñar.

206
209
208
205
210

Jabones terapéuticos

Estos refrescantes jabones son estupendos suplementos para su spa doméstico. Sus celestiales aromas le refrescarán y relajarán.

Receta 207

Terapia de la montaña

Para dos pastillas pequeñas.

Base de fundido y vertido: 85 g de base de glicerina transparente.

Colorante: 2 gotas de verde (a 55 g de base).

Aditivos: una pizca de polvos de oro (a 30 g de base).

Fragancia: 5 gotas de pino, 5 gotas de violeta, 5 gotas de vainilla.

Moldes: molde con dibujo de una hoja para 85 g.

Véase "Jabones con áreas de color definidas" (Verter y raspar) de la sección de Técnicas para diseñar.

Receta 208

Terapia de spa

Esta técnica es cortesía de Environmental Technologies. Para dos pastillas.

Base de fundido y vertido: 170 g de base de aceite de coco.

Fragancia: 10 gotas de mantequilla de cacao, 4 gotas de coco.

Colorante: 2 gotas de arena (para obtener una tonalidad cremosa).

Aditivos: 2 esponjas de mar naturales (para ajustarse dentro del molde redondo de 85 g).

Moldes: molde redondo para 85 g.

Véase "Jabones con esponjas incrustadas" de la sección de Técnicas para diseñar.

Receta 209

Spa del océano

Para dos pastillas.

Base de fundido y vertido: 200 g de base de glicerina blanqueada.

Fragancia: 10 gotas de *bay rum,* 5 gotas de lima, 5 gotas de especias mezcladas.

Colorante: 5 gotas de azul.

Aditivos: 1/2 cucharada de aceite de palma, 1/2 cucharada de aceite de coco.

Moldes: molde de dos delfines para 100 g.

Véase la Técnica básica.

Receta 210

Jabón de spa de Bali

Para dos pastillas.

Base de fundido y vertido: 85 g de base de glicerina blanqueada.

Fragancia: 5 gotas de mango, 5 gotas de coco.

Aditivos: 1 cucharada de leche en polvo entera, 1 cucharada de aceite de coco.

Moldes: molde redondo decorado para 45 g.

Véase la Técnica básica.

Jabones para el ánimo

Las siguientes recetas se han diseñado con las formas, colores y aromas que reflejan sus nombres. Las fragancias empleadas pueden ayudar a modificar el estado de ánimo.

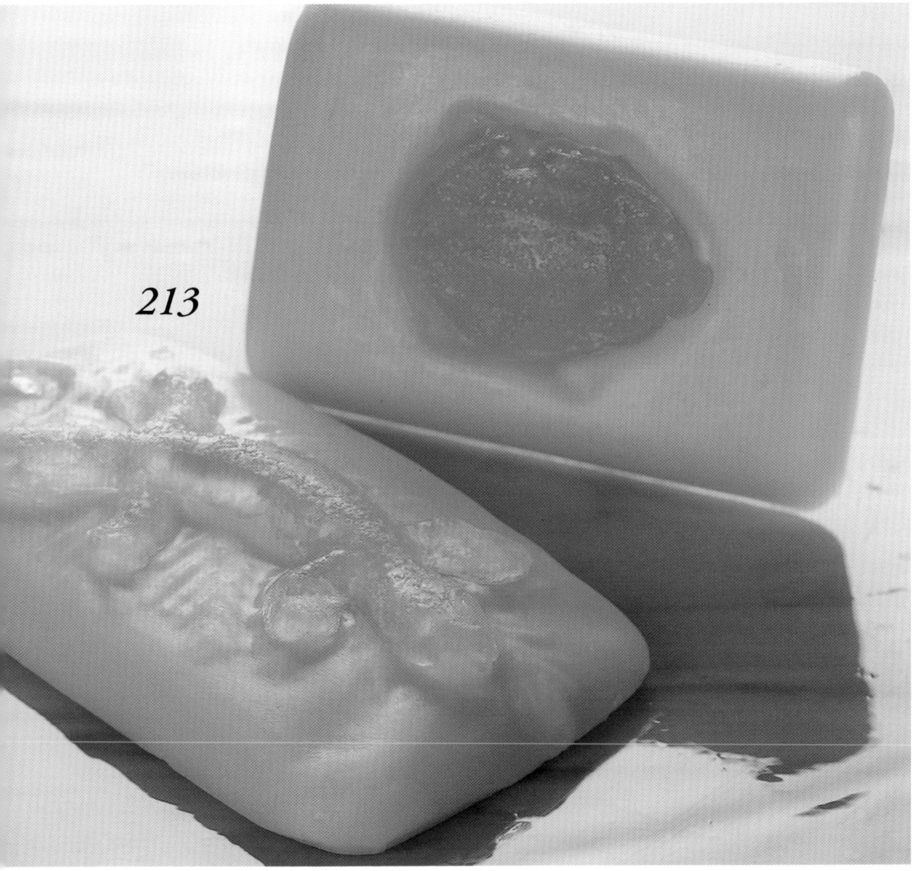
213

Receta 211
Nutriente

Para dos pastillas.

Base de fundido y vertido: 170 g de base de glicerina transparente con aceite de oliva.

Fragancia: 10 gotas de ylang-ylang, 10 gotas de rosa.

Moldes: molde de abeja y colmena para 85 g.

Véase la Técnica básica.

Receta 212
Fortificante

Para dos pastillas.

Base de fundido y vertido: 170 g de base de glicerina blanqueada.

Fragancia: 10 gotas de menta, 15 gotas de naranja dulce.

Colorante: 3 gotas de azul, 3 gotas de verde (para una tonalidad verdeazulada).

Moldes: molde de concha de almeja para 85 g.

Véase "Jabones con áreas de color definidas" (Verter y raspar) de la sección de Técnicas para diseñar.

Receta 213
Revitalizante

Para dos pastillas.

Base de fundido y vertido: 30 g de base de glicerina transparente, 85 g de base de glicerina blanqueada.

Fragancia: 10 gotas de romero, 5 gotas de menta.

Colorante: 2 gotas de verde (para la base transparente), 3 gotas de amarillo y 1 gota de verde (para la base blanca).

Moldes: molde rectangular con relieves de rana y lagartija para 55 g.

Véase "Jabones con áreas de color definidas" (Verter y raspar) de la sección de Técnicas para diseñar.

Receta 214
Estimulante

Para dos pastillas.

Base de fundido y vertido: 85 g de base de glicerina con leche de cabra.

Fragancia: 10 gotas de vainilla, 6 gotas de naranja dulce.

Moldes: molde de ángel para 85 g.

Véase la técnica básica.

Receta 215
Romántico

Para dos pastillas.

Base de fundido y vertido: 115 g de base de glicerina transparente.

Fragancia: 10 gotas de rosa, 5 gotas de clavo, 5 gotas de ylang-ylang.

Colorante: 4 gotas de rojo, 1 gota de negro (para obtener una tonalidad vino).

Moldes: molde de corazón con relieve para 115 g.

Véase la Técnica básica.

Receta 216
Juguetón

Para dos pastillas pequeñas.

Base de fundido y vertido: 115 g de base de glicerina blanqueada.

Fragancia: 10 gotas de vainilla, 10 gotas de sandía, 5 gotas de rosa.

Colorante: 2 gotas de naranja (a 85 g de base).

Moldes: molde redondo de pez para 45 g.

Véase "Jabones con áreas de color definidas" (Verter y raspar) de la sección de Técnicas para diseñar.

Receta 217
Escapada

Para una pastilla.

Base de fundido y vertido: 115 g de base de glicerina transparente.

Fragancia: 6 gotas de lavanda, 10 gotas de vainilla, 5 gotas de pachulí.

Colorante: 4 gotas de azul.

Moldes: molde de concha de goma para 115 g.

Véase la Técnica básica.

Receta 218
Soñador

Para dos pastillas.

Base de fundido y vertido: 200 g de base de glicerina blanqueada.

Fragancia: 10 gotas de lavanda, 15 gotas de camomila.

Colorante: 4 gotas de azul (en 170 g de base).

Moldes: molde rectangular para 115 g y rectangular para 85 g con relieves de luna y estrellas.

Véase "Jabones con áreas de color definidas" (Verter y raspar) de la sección de Técnicas para diseñar.

Receta 219
Cálido

Para una pastilla.

Base de fundido y vertido: 115 g de base de glicerina blanqueada.

Fragancia: 10 gotas de jengibre, 10 gotas de vainilla.

Colorante: 2 gotas de arena (a 85 g de base), 2 gotas de naranja (a 30 g de base).

Moldes: molde redondo con dibujo de sol para 115 g.

Véase "Jabones con áreas de color definidas" (Verter y raspar) de la sección de Técnicas para diseñar.

Receta 220
Curativo

Para dos pastillas.

Base de fundido y vertido: 230 g de base de glicerina blanqueada.

Fragancia: 15 gotas de aloe vera, 10 gotas de rosa.

Colorante: 4 gotas de naranja, 2 gotas de rojo (para una tonalidad coral).

Aditivos: 2 cápsulas de vitamina E, 1 cucharada de gel de aloe vera.

Moldes: molde de rosa para 110 g.

Véase la Técnica básica.

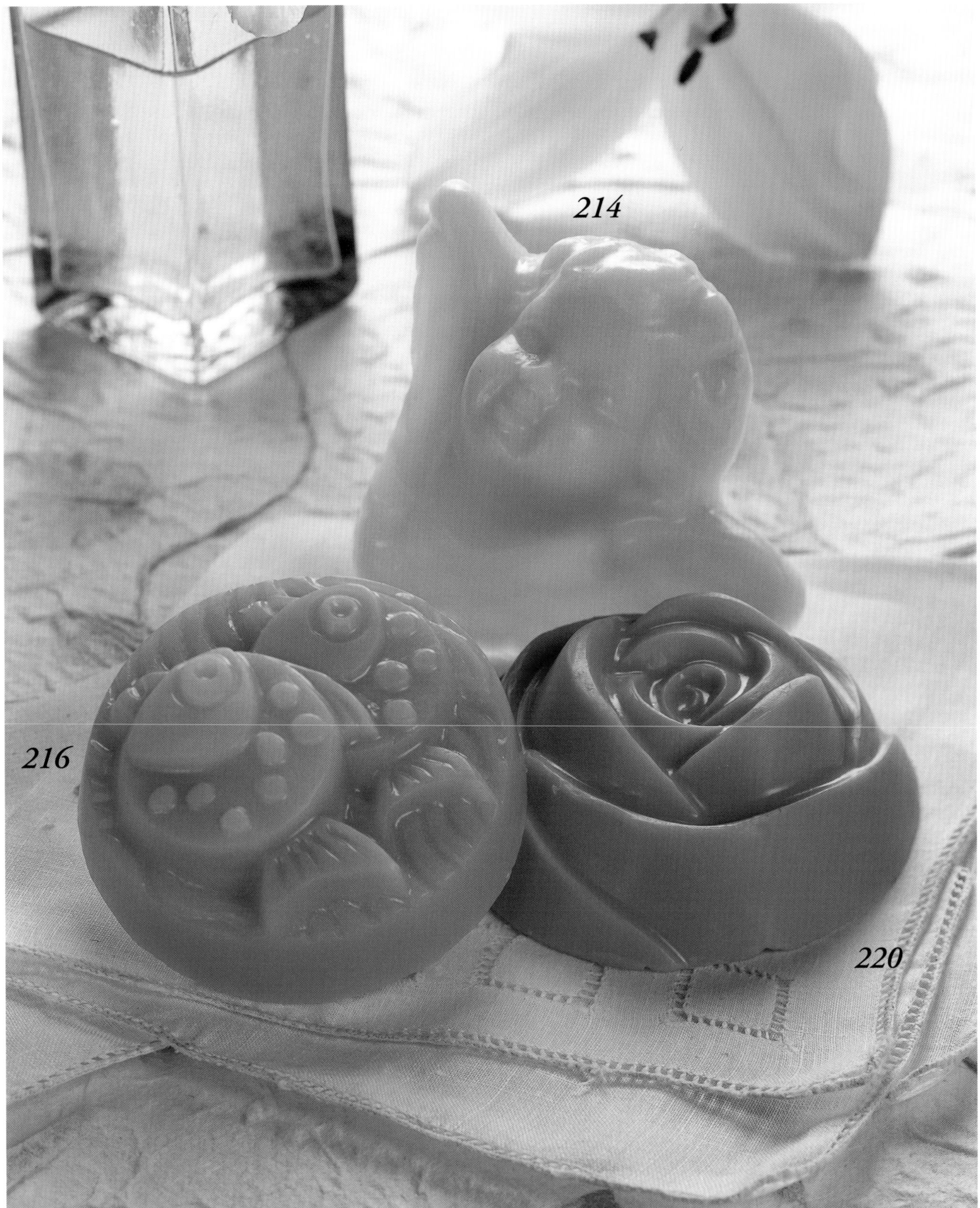
214
216
220

Receta 221
Reconfortante

Para una pastilla.

Base de fundido y vertido: 85 g de base de glicerina transparente.

Fragancia: 6 gotas de vainilla, 5 gotas de jazmín.

Colorante: 3 gotas de naranja.

Moldes: molde de mariposa para 85 g.

Véase la Técnica básica.

Receta 222
Serenidad

Para una pastilla.

Base de fundido y vertido: 130 g de base de glicerina transparente.

Fragancia: 10 gotas de naranja dulce, 5 gotas de pachulí.

Colorante: 4 gotas de verde.

Moldes: molde arabesco para 130 g.

Véase la Técnica básica.

226
225
226
223

Receta 223

Celebraciones de invierno

Para dos pastillas, 2,5 cm de ancho.

Base de fundido y vertido: 300 g de base de glicerina transparente.

Fragancia: 5 gotas de cada de canela, naranja dulce, avellana y vainilla.

Colorante: 3 gotas de verde, 6 gotas de blanco, 1 gota de rojo.

Moldes: tubo de estrella de 4 cm, tubo redondo de 6 cm.

Otros materiales: 3 pajitas de plástico.

Véase "Jabones de molde de tubo" en la sección de Técnicas para diseñar y siga estas instrucciones:

1. Vierta 85 g de base de glicerina transparente con 3 gotas de verde y 2 gotas de blanco en un molde de tubo de estrella de 4 cm. Déjelo reposar y sáquelo. Corte la estrella a la mitad de forma vertical para crear las hojas.
2. Meta las pajitas en la base preparada del molde de tubo redondo de 6 cm. Coloque las columnas de jabón verde frías. Vierta 170 g de base transparente con 4 gotas de colorante blanco y todos los aceites de fragancias. Deje que se asiente.
3. Saque las pajitas. Vierta 30 g de base de glicerina transparente con 1 gota de colorante rojo en los agujeros. Deje que se asiente y sáquelo.
4. Recorte y corte el jabón en dos trozos de 2,5 cm de ancho.

Receta 224

Días de verano

Para una pastilla.

Base de fundido y vertido: 85 g de base de glicerina blanqueada.

Fragancia: 5 gotas de cada de sandía, vainilla y cantalupo.

Colorante: 4 gotas de azul.

Moldes: molde rectangular para 85 g.

Otros materiales: imágenes de arándanos para jabón.

Véase "Jabones con imágenes" en la sección de Técnicas para diseñar.

Receta 225

Brillante

Para dos pastillas.

Base de fundido y vertido: 30 g de base de glicerina blanqueada, 170 g de base de glicerina transparente.

Fragancia: 10 gotas de menta, 10 gotas de aliso (para la base transparente).

Aditivos: una pizca de brillantina de plata.

Moldes: 85 g, estrella con relieve.

Véase "Jabones con áreas de color definidas" (Verter y raspar) de la sección de Técnicas para diseñar.

Receta 226

Bola de nieve

Para dos pastillas.

Base de fundido y vertido: 115 g de jabón escarchado.

Fragancia: 10 gotas de menta (para la base escarchada).

Aditivos: bolas de jabón de 4 cm de diámetro obtenidas de base de glicerina transparente azul.

Otros materiales: polvos iridiscentes.

Véanse "Jabones tallados" de la sección de Técnicas para diseñar y la receta 280, "Cuatro pequeños helados". Cubra las bolas de jabón azul con jabón escarchado, compactándolas con firmeza, como si estuviera haciendo una auténtica bola de nieve. Espolvoree el jabón con una pizca de polvos iridiscentes. Déjelo secar 24 horas antes de usarlo.

Receta 227

Paz

Para dos pastillas.

Base de fundido y vertido: 230 g de base de glicerina blanqueada.

Fragancia: 10 gotas de vainilla, 10 gotas de sándalo.

Colorante: 4 gotas de azul (para 170 g de la base).

Moldes: molde ovalado con grabado de paloma de la paz para 115 g.

Véase "Jabones con áreas de color definidas" (Verter y raspar) de la sección de Técnicas para diseñar.

Receta 228

Místico

Para dos pastillas.

Base de fundido y vertido: 30 g de base de glicerina blanqueada, 170 g de base de glicerina transparente.

Fragancia: 10 gotas de té verde, 5 gotas de canela.

Colorante: 4 gotas de rojo, 3 gotas de azul (para la base transparente).

Moldes: molde redondo con grabados del suroeste para 85 g.

Véase "Jabones con áreas de color definidas" (Verter y raspar) de la sección de Técnicas para diseñar.

Receta 229

Tranquilidad

Para una pastilla.

Base de fundido y vertido: 30 g de base de glicerina blanqueada, 115 g de base de glicerina de color verde opaca.

Fragancia: 10 gotas de madreselva, 6 gotas de jazmín, 6 gotas de almizcle, 6 gotas de mandarina.

Moldes: molde redondo con grabados de caracteres chinos para 115 g.

Véase "Jabones con áreas de color definidas" (Verter y raspar) de la sección de Técnicas para diseñar.

Receta 230

Relajante

Para una pastilla.

Base de fundido y vertido: 115 g de base de glicerina blanqueada.

Fragancia: 8 gotas de lavanda, 8 gotas de ylang-ylang.

Colorante: 2 gotas de azul (a la base de 85 g).

Moldes: molde rectangular con relieve para 85 g.

Véase "Jabones con áreas de color definidas" (Verter y raspar) de la sección de Técnicas para diseñar.

229
安
TRANQUILITY
219
228

Jabones con grabados

Los jabones de esta sección están grabados con sellos de goma o sellos de jabón. Esta técnica creativa le permite crear jabones elegantes u originales, dependiendo del diseño elegido para el grabado.

Receta 231

Aire

Para una pastilla.

Base de fundido y vertido: 115 g de base de glicerina transparente.

Fragancia: 5 gotas de bergamota, 10 gotas de limón.

Aditivos: una pizca de brillantina iridiscente.

Moldes: molde rectangular para 115 g.

Otros materiales: sello de goma.

Véase "Jabones con grabados" de la sección de Técnicas para diseñar.

Receta 232

Agua

Para una pastilla.

Base de fundido y vertido: 115 g de base de glicerina transparente.

Fragancia: 10 gotas de ylang-ylang, 5 gotas de bergamota.

Colorante: 3 gotas de azul, 2 gotas de verde (para obtener una tonalidad verdeazulada).

Aditivos: una pizca de brillantina iridiscente.

Moldes: molde rectangular para 115 g.

Otros materiales: sello de goma.

Véase "Jabones con grabados" de la sección de Técnicas para diseñar.

Receta 233

Fuego

Para una pastilla.

Base de fundido y vertido: 85 g de base de glicerina transparente.

Fragancia: 5 gotas de canela, 5 gotas de jengibre.

Colorante: 3 gotas de rojo.

Aditivos: cubitos de jabón rojos y amarillos, una pizca de brillantina iridiscente.

Moldes: molde rectangular para 115 g.

Otros materiales: sello de goma.

Véase "Jabones con grabados" de la sección de técnicas para diseñar.

Receta 234

Tierra

Para una pastilla.

Base de fundido y vertido: 115 g de base de glicerina blanqueada.

Fragancia: 10 gotas de pino, 5 gotas de sándalo, 5 gotas de pachulí.

Colorante: 3 gotas de verde, 1 gota de naranja (para obtener una tonalidad verdosa).

Aditivos: 1/4 cucharada de salvado de trigo, 1/4 cucharada de hojas de menta secas.

Moldes: molde rectangular para 115 g.

Otros materiales: sello de goma.

Véase "Jabones con grabados" de la sección de Técnicas para diseñar.

Receta 235

Grabado clásico

Para una pastilla.

Base de fundido y vertido: 140 g de base de glicerina transparente.

Fragancia: 10 gotas de romance ámbar.

Colorante: 3 gotas de rojo, 2 gotas de blanco (para obtener una tonalidad rosa translúcida).

Moldes: molde cuadrado para 140 g.

Otros materiales: polvos de oro (para resaltar el dibujo grabado), sello de goma.

Véase "Jabones con grabados" de la sección de Técnicas para diseñar.

Receta 236

Grabado toscano

Para una pastilla.

Base de fundido y vertido: 85 g de base de glicerina blanqueada.

Fragancia: 10 gotas de pera.

Colorante: 3 gotas de azul, 2 gotas de rojo.

Moldes: molde ovalado para 140 g.

Otros materiales: polvos de oro (para resaltar el dibujo grabado), sello de goma.

Véase "Jabones con grabados" de la sección de Técnicas para diseñar.

233
234
EARTH
231
AIR
232
WATER

Receta 237

Pera grabada

Para dos pastillas.

Base de fundido y vertido: 170 g de base de glicerina blanqueada.

Fragancia: 15 gotas de pera, 5 gotas de especias mezcladas.

Colorante: 3 gotas de verde, 2 gotas de amarillo, 1 gota de naranja (para obtener una tonalidad de pera madura).

Moldes: molde rectangular para 85 g.

Otros materiales: sello con dibujo de pera.

Véase "Jabones con cuño" de la sección de Técnicas para diseñar.

Receta 238

Abeja grabada

Para dos pastillas.

Base de fundido y vertido: 170 g de base de glicerina blanqueada.

Fragancia: 10 gotas de miel.

Colorante: 3 gotas de amarillo, 1 gota de negro (para obtener una tonalidad ámbar oscuro).

Moldes: molde hexagonal para 85 g.

Otros materiales: sello con dibujo de abeja.

Véase "Jabones con cuño" de la sección de Técnicas para diseñar.

Gemas y piedras de jabón

Las siguientes gemas de jabón se moldearon en moldes de tubo redondos de 5 cm, se cortaron en trozos de 5 cm y se tallaron para crear las gemas. Las gemas de cristal tienen aristas afiladas, en ángulo; las gemas lisas se cortaron y pulieron con una toallita de algodón sin cardar.

Receta 239

Amatista

Para dos gemas de jabón.

Base de fundido y vertido: 85 g de base de glicerina transparente.

Fragancia: 10 gotas de almizcle azul.

Aditivos: cubitos de jabón azules y púrpura, una pizca de brillantina plateada.

Moldes: tubo redondo de plástico de 5 cm.

Véanse "Jabones en trozos" y "Jabones tallados" de la sección de Técnicas para diseñar.

Receta 240

Cuarzo de rosa

Para dos gemas de jabón.

Base de fundido y vertido: 85 g de base de glicerina transparente.

Fragancia: 10 gotas de pétalos de rosa.

Aditivos: cubitos de jabón blancos y rosas, una pizca de polvos iridiscentes.

Moldes: tubo redondo de plástico de 5 cm.

Véanse "Jabones en trozos" y "Jabones tallados" de la sección de Técnicas para diseñar.

Receta 241

Jade

Para dos gemas de jabón.

Base de fundido y vertido: 85 g de base de glicerina transparente.

Fragancia: 10 gotas de jazmín, 5 gotas de hierbas.

Aditivos: cubitos de jabón verde opacos con té verde, una pizca de polvos de oro.

Moldes: tubo redondo de plástico de 5 cm.

Véanse "Jabones en trozos" y "Jabones tallados" de la sección de Técnicas para diseñar.

Receta 242

Cuarzo lechoso

Para dos gemas de jabón.

Base de fundido y vertido: 85 g de base de glicerina transparente.

Fragancia: 10 gotas de leche y miel.

Aditivos: cubitos de jabón blancos y transparentes, una pizca de polvos perlados.

Moldes: tubo redondo de plástico de 5 cm.

Véanse "Jabones en trozos" y "Jabones tallados" de la sección de Técnicas para diseñar.

Receta 243

Ópalo

Para dos gemas de jabón.

Base de fundido y vertido: 85 g de base de glicerina transparente.

Fragancia: 10 gotas de eucalipto.

Aditivos: cubitos de jabón azules, rosas y blancos, una pizca de polvos perlados.

Moldes: tubo redondo de plástico de 5 cm.

Véanse "Jabones en trozos" y "Jabones tallados" de la sección de Técnicas para diseñar.

Receta 244

Zafiro de estrella

Para dos pastillas.

Base de fundido y vertido: 170 g de base de glicerina blanqueada, 55 g de base de glicerina transparente.

Fragancia: 10 gotas de neroli.

Colorante: 6 gotas de azul (para la base blanca).

Aditivos: una pizca de polvos perlados (añadidos a 55 g de base transparente).

Moldes: molde redondo para 115 g, molde con forma de bóveda ovalada para 85 g.

Véase "Jabones en trozos" de la sección de Técnicas para diseñar y siga estas instrucciones:

Técnica: tallado, pulido:

1. Vierta la base azul en los moldes. Deje reposar y sáquela.
2. Talle la parte de arriba con bastante profundidad haciendo una estrella.
3. Funda la base transparente y los polvos perlados. Vierta 30 g de base perlada en el fondo de cada molde. Acto seguido, coloque las pastillas de jabón en los moldes. Presione con firmeza para que el líquido se distribuya en las zonas talladas. Deje asentar y sáquelo.
4. Pula las piedras de jabón con una toallita de algodón sin cardar para que aparezca la estrella.

245
249
254
253

Receta 245

Ámbar

Para dos gemas de jabón.

Base de fundido y vertido: 85 g de base de glicerina transparente.

Fragancia: 10 gotas de romance ámbar.

Aditivos: base de aceite de oliva cortado en cubitos, una pizca de polvos de oro, unas cuantas arañas de plástico negras.

Moldes: tubo redondo de plástico de 5 cm.

Véase "Jabones en trozos" y "Jabones tallados" de la sección de Técnicas para diseñar. Pulir.

Receta 246

Turquesa

Para dos gemas de jabón.

Base de fundido y vertido: 85 g de base de glicerina transparente de color turquesa.

Fragancia: 10 gotas de almizcle.

Aditivos: cubitos de jabón púrpuras, verdes y azules.

Moldes: tubo redondo de plástico de 5 cm.

Véanse "Jabones en trozos" y "Jabones tallados" de la sección de Técnicas para diseñar. Pulir.

Receta 247

Diamante

Para dos gemas de jabón.

Base de fundido y vertido: 85 g de base de glicerina transparente.

Fragancia: 10 gotas de lirio de los valles.

Aditivos: cubitos transparentes, una pizca de polvos iridiscentes.

Moldes: tubo redondo de plástico de 5 cm.

Véanse "Jabones en trozos" y "Jabones tallados" de la sección de Técnicas para diseñar.

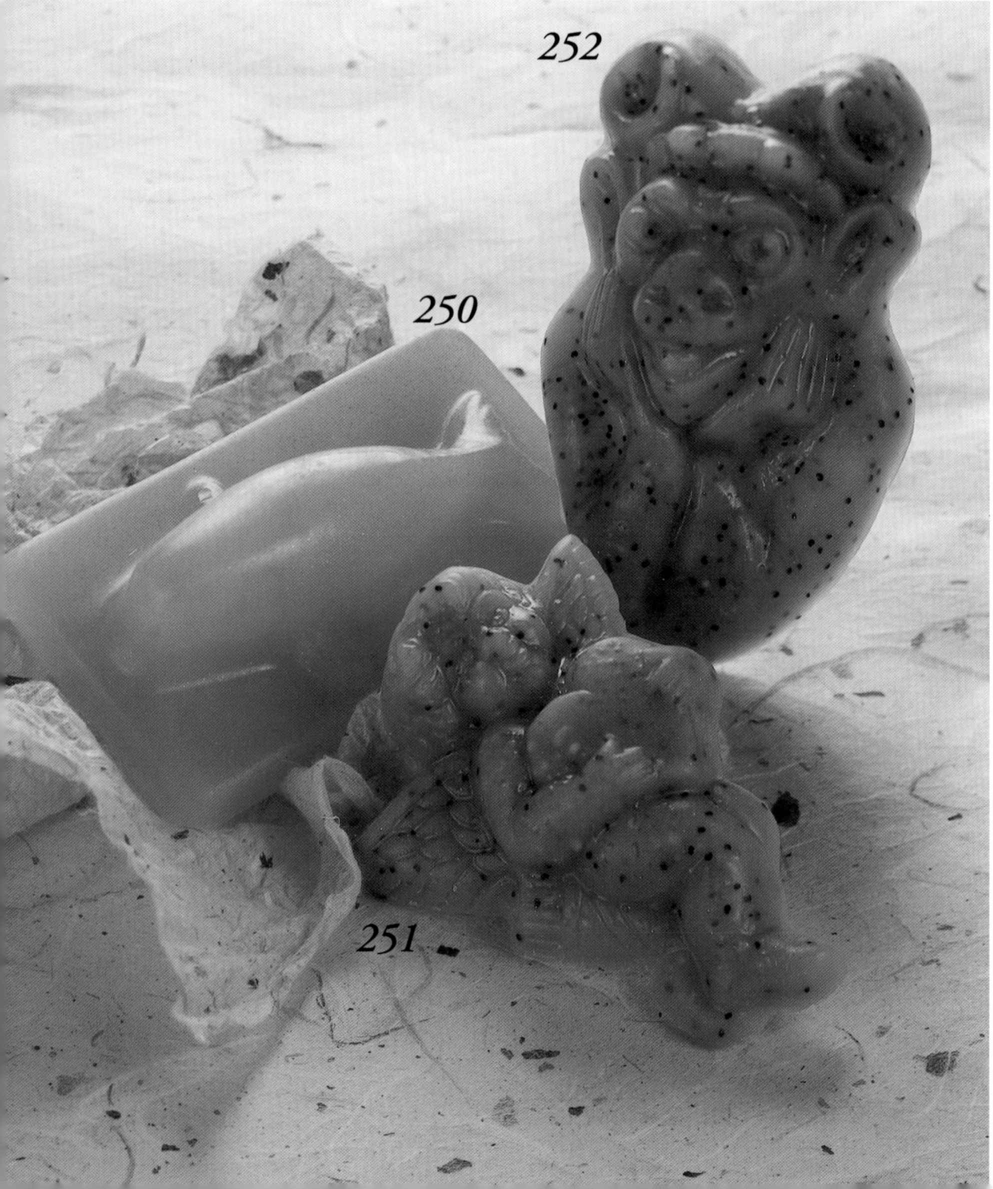

Receta 248

Esmeralda

Para dos gemas de jabón.

Base de fundido y vertido: 85 g de base de glicerina transparente de color verde.

Fragancia: 10 gotas de menta.

Aditivos: cubitos transparentes y verdes, una pizca de polvos iridiscentes.

Moldes: tubo redondo de plástico de 5 cm.

Véanse "Jabones en trozos" y "Jabones tallados" de la sección de Técnicas para diseñar.

Receta 249

Capas sedimentarias

Este jabón se hace con los restos de jabón que quedan después de haber rellenado un molde. Para dos gemas de jabón.

Base de fundido y vertido: los restos fundidos de otras recetas.

Fragancia: una variedad de aromas.

Moldes: tubo redondo de plástico de 5 cm.

Véanse "Jabones en trozos" y "Jabones tallados" de la sección de Técnicas para diseñar y siga estas instrucciones.

Prepare un molde de tubo. Mientras trabaja, añada pequeñas cantidades de jabón fundido. Intente que los colores se complementen para obtener un aspecto más real.

255
260
256

Receta 250

Marfil antiguo

Para una pastilla.

Base de fundido y vertido: 45 g de base de glicerina transparente, 45 g de base de glicerina blanqueada.

Fragancia: 10 gotas de vainilla.

Aditivos: una pizca de polvos de oro (para la base transparente).

Moldes: molde rectangular con ballena en 3 dimensiones para 85 g.

Véase "Jabones amarmolados" de la sección de Técnicas para diseñar.

Receta 251

Ángeles de granito

Para dos pastillas.

Base de fundido y vertido: 140 g de base de glicerina blanqueada con aceite de coco.

Fragancia: 15 gotas de morera.

Colorante: 3 gotas de negro (para obtener una tonalidad gris).

Aditivos: 1/2 cucharada de tapioca, 1/4 cucharada de semillas de amapola.

Moldes: moldes de ángel para 55 g y 85 g.

Véase la Técnica básica.

Receta 252

Gárgola de granito

Para una pastilla.

Base de fundido y vertido: 130 g de base de glicerina blanqueada con aceite de coco.

Fragancia: 10 gotas de canela, 5 gotas de jengibre.

Colorante: 3 gotas de negro (para obtener una tonalidad gris).

Aditivos: 1/2 cucharada de tapioca, 1/4 cucharada de semillas de amapola.

Moldes: molde de gárgola para 130 g.

Véase la Técnica básica.

Receta 253

Jabón de guijarros de arena

Para tres guijarros de jabón.

Base de fundido y vertido: 55 g de base de glicerina blanqueada con aceite de coco.

Fragancia: 6 gotas de tierra.

Colorante: 3 gotas de arena.

Aditivos: 1/2 cucharada de germen de trigo, 1/4 cucharada de páprika.

Moldes: guijarros de goma.

Véase la Técnica básica.

Receta 254

Jabón de guijarros grises

Para dos guijarros de jabón

Base de fundido y vertido: 55 g de base de glicerina blanqueada con aceite de coco.

Fragancia: 6 gotas de tierra.

Colorante: 2 gotas de negro.

Aditivos: una pizca de tapioca, semillas de amapola.

Moldes: guijarros de goma.

Véase la Técnica básica.

Receta 255

Cristal púrpura

Para dos cristales de jabón.

Base de fundido y vertido: 115 g de base de glicerina transparente, 140 g de base de glicerina blanqueada.

Fragancia: 10 gotas de mora.

Colorante: 4 gotas de azul, 2 gotas de rojo.

Aditivos: 1/2 cucharada de sal gema.

Moldes: moldes con forma de bóveda redonda para 30 g y 115 g.

Otros materiales: sacabolas.

Véase "Jabones con capas" de la sección de Técnica para diseñar y siga estas instrucciones.

1. Vierta 140 g de base de glicerina blanqueada con la fragancia de mora en el molde. Deje que se asiente.
2. Con un sacabolas, saque todo excepto 1 cm de jabón blanco.
3. Vierta 70 g de base transparente con 2 gotas de colorante azul y dos gotas de rojo.
4. Saque todo excepto 1/2 cm del jabón.
5. Vuelva a fundir el jabón blanco. Añada 2 gotas de colorante rojo para hacerlo rosa y viértalo en el molde. Deje que se asiente.
6. Haga un agujero pequeño en el centro. Añada la sal gema y vierta lo que quede de la base transparente. Deje que se asiente y sáquelo.
7. Recorte y pula.

Receta 256

Cristal rosa

Para un cristal de jabón.

Base de fundido y vertido: 115 g de base de glicerina transparente, 115 g de base de glicerina blanqueada.

Fragancia: 5 gotas de albaricoque, 4 gotas de fresa.

Colorante: 2 gotas de rojo.

Aditivos: 1/2 cucharada de sal gema.

Moldes: molde con forma de bóveda redonda para 115 g.

Véase "Jabones con capas" de la sección de Técnicas para diseñar y siga las instrucciones de la receta 255, "Cristal púrpura", para hacer la capas blancas, rosa opaco, púrpura opaco y transparente.

Receta 257

Pastilla de iglú

Para una pastilla.

Base de fundido y vertido: 85 g de base de glicerina transparente.

Fragancia: 5 gotas de eucalipto, 6 gotas de menta, 6 gotas de hierbabuena.

Colorante: 1 gota de blanco.

Aditivos: trozos de jabón transparente con brillantina iridiscente.

Moldes: molde con forma de bóveda para 115 g.

Véase "Jabones en trozos" de la sección de Técnicas para diseñar.

Receta 258
Infancia

Base de fundido y vertido: 55 g de base de glicerina transparente de color azul, 115 g de base de glicerina de color amarillo opaco.

Fragancia: 5 gotas de polvos de talco (para la base azul), 10 gotas de polvos de talco (para la base amarilla).

Moldes: bloque en 3 dimensiones, pato de goma.

Véase la Técnica básica.

Receta 259
Conchas amarmoladas

Para cuatro pastillas.

Base de fundido y vertido: 115 g de base de glicerina blanqueada.

Fragancia: 10 gotas de brisa de océano.

Colorante: 4 gotas de azul (para 55 g de base).

Moldes: bandeja con dibujos de conchas.

Véase "Jabones amarmolados" de la sección de Técnicas para diseñar.

Receta 260
Mármol tallado

Para una pastilla.

Base de fundido y vertido: 170 g de base de glicerina transparente.

Fragancia: 15 gotas de gardenia.

Colorante: 3 gotas de polvos rosas (para 85 g de base), 4 gotas de rojo y 6 gotas de púrpura (para 85 g).

Moldes: 140 g, cuadrado.

Véanse "Jabones amarmolados" y "Jabones tallados" de la sección de Técnicas para diseñar.

Receta 261
Amarmolado de ponche de frutas

Para cuatro pastillas.

Base de fundido y vertido: 55 g de base de glicerina transparente, 55 g de base de glicerina blanqueada.

Fragancia: 5 gotas de naranja dulce y 4 gotas de melón (para la base blanqueada), 5 gotas de fresa y 4 de mango (para la base transparente).

Colorante: 3 gotas de melón (para 55 g de base blanqueada), 2 gotas de rojo (para 55 g de base transparente).

Moldes: bandeja con motivos frutales.

Véase "Jabones amarmolados" de la sección de Técnicas para diseñar.

Receta 262
Pescado azul de Lena

Lena, mi hija de 15 años, elaboró esta receta con su nombre. Para tres pastillas.

Base de fundido y vertido: 140 g de base de glicerina transparente.

Fragancia: 10 gotas de lluvia hawaiana (para la base de 70 g), 10 gotas de tierra (para la base de 70 g).

Colorante: 2 gotas de azul (para la base de 70 g), 3 gotas de polvos azules (para la base de 70 g).

Moldes: molde de pez para 45 g.

Véase "Jabones amarmolados" de la sección de Técnicas para diseñar.

Jabones calmantes

Con estas recetas se elaboran jabones que calman y rejuvenecen. Son sencillas y se realizan con la técnica de fundido y vertido.

Receta 263
Masaje de menta y hierba de limón

Esta receta es cortesía de Katie Hacker. Para una pastilla.

Base de fundido y vertido: 70 g de base de pepino con suspensión.

Fragancia: 2 gotas de hierba de limón.

Aditivos: 1/4 cucharada de hierba de limón, 1/4 cucharada de hojas de menta secas.

Moldes: molde hexagonal para 70 g.

Véase la Técnica básica.

Receta 264
Masaje de albaricoque

Esta receta es cortesía de Katie Hacker. Para una pastilla.

Base de fundido y vertido: 100 g de base de glicerina con aceite de oliva y suspensión.

Fragancia: 2 gotas de camomila.

Aditivos: 1 cucharada de semillas de albaricoque molidas.

Moldes: molde rectangular para 113 g.

Véase la Técnica básica.

Receta 265
Jabón deportivo de Scott

Éste es un jabón curativo y calmante que a mi marido le encanta. Para una pastilla.

Base de fundido y vertido: 30 g de base de glicerina blanqueada, 85 g de base de glicerina transparente con aceite de cáñamo.

Fragancia: 5 gotas de tierra, 3 gotas de pino, 3 gotas de menta.

Aditivos: 1 cucharada de menta (para la base de glicerina transparente).

Moldes: molde rectangular para 115 g.

Véase "Jabones con áreas de color definidas" (Verter y raspar) de la sección de Técnicas para diseñar.

Receta 266
Pastilla de masaje fresco

Para una pastilla.

Base de fundido y vertido: 85 g de base de glicerina con aceite de cáñamo.

Fragancia: 5 gotas de eucalipto, 5 gotas de menta.

Moldes: molde redondo para 85 g.

Véase la Técnica básica.

265
266
264
271
263

Jabones de Navidad

Estas recetas son sólo para la Navidad.
Se elaboran estupendos jabones para regalar.

Receta 267

Invitado de Navidad

Para cuatro pastillas de jabón.

Base de fundido y vertido: 115 g de aceite de coco.

Fragancia: 6 gotas de ponche de huevo.

Moldes: formas pequeñas y de fantasía.

Otros materiales: 4 imágenes con motivos navideños.

Véase "Jabones con imágenes" de la sección de Técnicas para diseñar.

Receta 268

Regalo de Santa Claus

Para dos pastillas de jabón.

Base de fundido y vertido: 55 g de base de glicerina transparente.

Fragancia: 5 gotas de palo de caramelo.

Colorante: 2 gotas de rojo.

Para resaltar: 2 gomas de borrar con forma de Santa Claus.

Moldes: molde de corazón para 30 g.

Véanse "Jabones con juguetes incrustados" y "Jabones con relieves decorativos" de la sección de Técnicas para diseñar.

Receta 269

Regalo navideño de copo de nieve

Para dos pastillas de jabón.

Base de fundido y vertido: 55 g de base de glicerina blanqueada.

Fragancia: 3 gotas de mandarina, 2 gotas de canela, 2 gotas de vainilla.

Colorante: 2 gotas de azul.

Para resaltar: 2 gomas de borrar con forma de copo de nieve.

Moldes: moldes de 30 g para cuatro formas pequeñas.

Véanse "Jabones con juguetes incrustados" y "Jabones con relieves decorativos" de la sección de Técnicas para diseñar.

Receta 270

Navidad

Para dos pastillas de jabón.

Base de fundido y vertido: 140 g de base de glicerina transparente, 30 g de base de glicerina blanqueada.

Fragancia: 3 gotas de chocolate, 3 gotas de menta, 3 gotas de vainilla.

Colorante: 2 gotas de rojo (para la base transparente).

Moldes: bandeja con motivos navideños.

Véase "Jabones con áreas de color definidas" (Verter y raspar) de la sección de Técnicas para diseñar.

270
269
268

Pastillas exfoliantes y de champú

Receta 271

Pastilla de champú

Este preparado es bueno para el pelo graso. Para dos pastillas.

Base de fundido y vertido: 115 g de base de glicerina transparente con aceite de oliva.

Fragancia: 10 gotas de romero, 10 gotas de limón.

Moldes: molde rectangular para 115 g.

Para hacer dos pastillas, corte a la mitad el rectángulo y bisele los bordes.

Receta 272

Pastilla de champú anticaspa

Para dos pastillas.

Base de fundido y vertido: 115 g de base de aceite de coco.

Aditivos: 3 cápsulas de vitamina E, 1 cucharada de gel de aloe vera, 2 aspirinas machacadas.

Moldes: molde rectangular para 115 g.

Para hacer dos pastillas, corte el rectángulo a la mitad y bisele los bordes.

Receta 273

Azúcar moreno

Para dos pastillas.

Base de fundido y vertido: 170 g de base de glicerina blanqueada.

Fragancia: 15 gotas de azúcar moreno.

Colorante: 5 gotas de naranja.

Aditivos: 3 cucharadas de azúcar moreno, 1 cucharada de aceite de palma.

Moldes: molde de corazón radiante para 85 g.

Véase la Técnica básica.

Receta 274

Pastilla exfoliante a la sal

Un exfoliante en una pastilla aromática. Para dos pastillas.

Base de fundido y vertido: 115 g de base de aceite de coco.

Fragancia: 10 gotas de mango, 10 gotas de mandarina.

Aditivos: 2 cucharadas de sal marina, 1 cuchara de mantequilla de karité, 2 cápsulas de vitamina E.

Moldes: molde con forma de bóveda para 45 g y molde redondo para 55 g.

Véase la Técnica básica.

Dulces de jabón

Receta 275

Tarta de jabón de limón

Para dos tartas de jabón.

Base de fundido y vertido: 30 g de base de glicerina blanqueada, 55 g de base de glicerina transparente.

Fragancia: 5 gotas de vainilla, 10 gotas de limón.

Colorante: 1 gota de arena, 1 gota de blanco, 3 gotas de amarillo.

Moldes: molde de tartera de metal para 30 g.

Véase "Jabones con capas" de la sección de Técnicas para diseñar.

Técnica:
Primera capa: base de glicerina blanqueada con colorante de arena y fragancia de vainilla.
Segunda capa: base de glicerina transparente con colorantes amarillo y blanco y fragancia de limón.
Adorno: jabón escarchado.

Receta 276

Tarta de bayas

Para dos tartas de jabón.

Base de fundido y vertido: 30 g de base de glicerina blanqueada, 55 g de base de glicerina transparente.

Fragancia: 5 gotas de vainilla, 10 gotas de tarta de fresas.

Colorante: 1 gota de arena, 2 gotas de rojo.

Aditivos: cubos de jabón rojo transparente tallados a cuchillo.

Moldes: molde de tartera de metal para 85 g.

Véase "Jabones con capas" de la sección de Técnicas para diseñar.

Técnica:
Primera capa: base de glicerina blanqueada con colorante de arena y fragancia de vainilla.
Segunda capa: base de glicerina transparente con colorante rojo y fragancia de tarta de fresas vertida sobre los cubos de jabón rojo transparente.
Adorno: jabón escarchado.

274
272
267

Receta 277

Tarta de crema de coco

Para dos tartas de jabón.

Base de fundido y vertido: 30 g de base de glicerina blanqueada, 55 g de base de glicerina transparente.

Fragancia: 5 gotas de vainilla, 10 gotas de coco.

Colorante: 1 gota de arena, 2 gotas de blanco.

Aditivos: 1/2 cucharada de coco seco.

Moldes: molde de tartera de metal con forma de corazón para 85 g.

Véase "Jabones con capas" de la sección de Técnicas para diseñar

Técnica:

Primera capa: base de glicerina blanqueada con colorante de arena y fragancia de vainilla.

Segunda capa: base de glicerina transparente con colorante blanco, fragancia de coco y coco seco.

Adorno: jabón escarchado.

276
278
277
275

Receta 278

Pastelillo de menta

Para dos pastillas.

Base de fundido y vertido: 115 g de base de glicerina transparente.

Fragancia: 10 gotas de menta de chocolate.

Colorante: 6 gotas de café, 2 gotas de verde.

Moldes: molde con forma de bóveda redonda para 55 g.

Véase "Jabones con capas" de la sección de Técnicas para diseñar.

Técnica:

Primera capa: 30 g de base con 3 gotas de colorante de café y 5 gotas de fragancia de menta de chocolate.
Segunda capa: 55 g de base con colorante verde.
Tercera capa: 30 g de base con 3 gotas de colorante de café y 5 gotas de fragancia de menta de chocolate.

Receta 279

Cóctel de frutas

Esta serie de jabones puede elaborarse en un molde grande de tipo barra y todas las recetas de este estilo pueden modificarse para crear jabones individuales de esta forma. Para dos pastillas.

Base de fundido y vertido: 115 g de base de glicerina transparente.

Fragancia: 5 gotas de piña, 5 gotas de naranja, 5 gotas de pomelo rosa.

Incrustaciones: gajos de naranja y de pomelo rosa cortados de jabones de tubo, trozos de piña cortados de base de glicerina amarilla, cerezas cortadas de jabón rojo moldeado en molde de tubo redondo de 2 cm.

Moldes: molde rectangular para 85 g.

Véase "Jabones en trozos" de la sección de Técnicas para diseñar. Rellene los moldes con las piezas de jabón coloreado y vierta el jabón perfumado sobre ellos.

Receta 280

Cuatro pequeños helados

Esta receta es cortesía de Yaley Enterprises y muestra la base para jabones escarchada de la empresa, que viene en una barra de 260 g. Para cuatro pastillas pequeñas.

Base de fundido y vertido: 115 g de base de glicerina blanqueada.

Fragancia: 6 gotas a su elección.

Colorante: 3 gotas a su elección.

Moldes: cuatro moldes pequeños para 30 g.

Otros materiales: jabón escarchado, bolsa de pastitas y adorno.

Vierta la base de glicerina blanqueada con el colorante y la fragancia en los moldes. Deje que se asiente y sáquelo. Escarche los "pasteles" de jabón con jabón escarchado siguiendo estas instrucciones:

1. Divida la barra escarchada en cuatro piezas iguales de 68 g. Corte un trozo de jabón en piezas pequeñas y derrítalo en una taza medidora, resistente al calor, de 10 cm.
2. Añada unas gotas de colorante (p. ej., verde para las hojas, rojo para las flores). Bata el jabón a velocidad lenta utilizando una batidora eléctrica y añada 2 cucharadas de agua. Continúe batiendo a velocidad media hasta que el jabón se seque y se haga espeso y esponjoso (aprox. 3 a 4 minutos, cuanto más lo bata, más esponjoso y más sencillo de trabajar se vuelve).
3. Coloque el jabón batido en una bolsa de pastitas con un adorno de su elección y úselo para decorar cuatro jabones pequeños individuales. Deje transcurir 24 horas para que el escarchado se seque.

Receta 281

Cuatro pequeños corazones rojos

Para cuatro pastillas pequeñas.

Base de fundido y vertido: 115 g de base de glicerina blanqueada.

Fragancia: 6 gotas de tarta de fresas.

Colorante: 3 gotas de rojo.

Moldes: 4 moldes pequeños con forma de corazón para 30 g.

Otros materiales: jabón escarchado, bolsa de pastitas y adorno.

Vierta la base de glicerina blanqueada con el colorante y la fragancia. Deje que se asiente y sáquelo. Escarche los "pastelitos" con el jabón escarchado siguiendo las instrucciones de la receta 280 explicada anteriormente.

Receta 282

Cuatro pequeños amarillos

Para cuatro pastillas pequeñas.

Base de fundido y vertido: 115 g de base de glicerina blanqueada.

Fragancia: 3 gotas de limón, 3 gotas de vainilla.

Colorante: 3 gotas de amarillo.

Moldes: 4 moldes pequeños con forma de corazón para 30 g.

Otros materiales: jabón escarchado, bolsa de pastitas y adorno.

Vierta la base de glicerina blanqueada con el colorante y la fragancia. Deje que se asiente y sáquelo. Escarche los "pastelitos" con el jabón escarchado siguiendo las instrucciones de la receta 280 explicada anteriormente.

Receta 283

Cuatro pequeños azules

Para cuatro pastillas pequeñas.

Base de fundido y vertido: 115 g de base de glicerina blanqueada.

Fragancia: 3 gotas de vainilla, 3 gotas de cake bake.

Colorante: 3 gotas de azul.

Moldes: cuatro moldes pequeños para 30 g.

Otros materiales: jabón escarchado, bolsa de pastitas y adorno.

Vierta la base de glicerina blanqueada con el colorante y la fragancia. Deje que se asiente y sáquelo. Escarche los "pastelitos" con el jabón escarchado siguiendo las instrucciones de la receta 280 explicada anteriormente.

281
283

Jabones creativos

Las primeras dos recetas de tubo emplean un molde de tubo de dos partes de Martin Creative. Los moldes usan columnas de jabón detalladas y con ellas pueden elaborarse hasta 18 pastillas de jabón cuando se rellenan por completo. Los jabones restantes de esta sección ilustran otras técnicas.

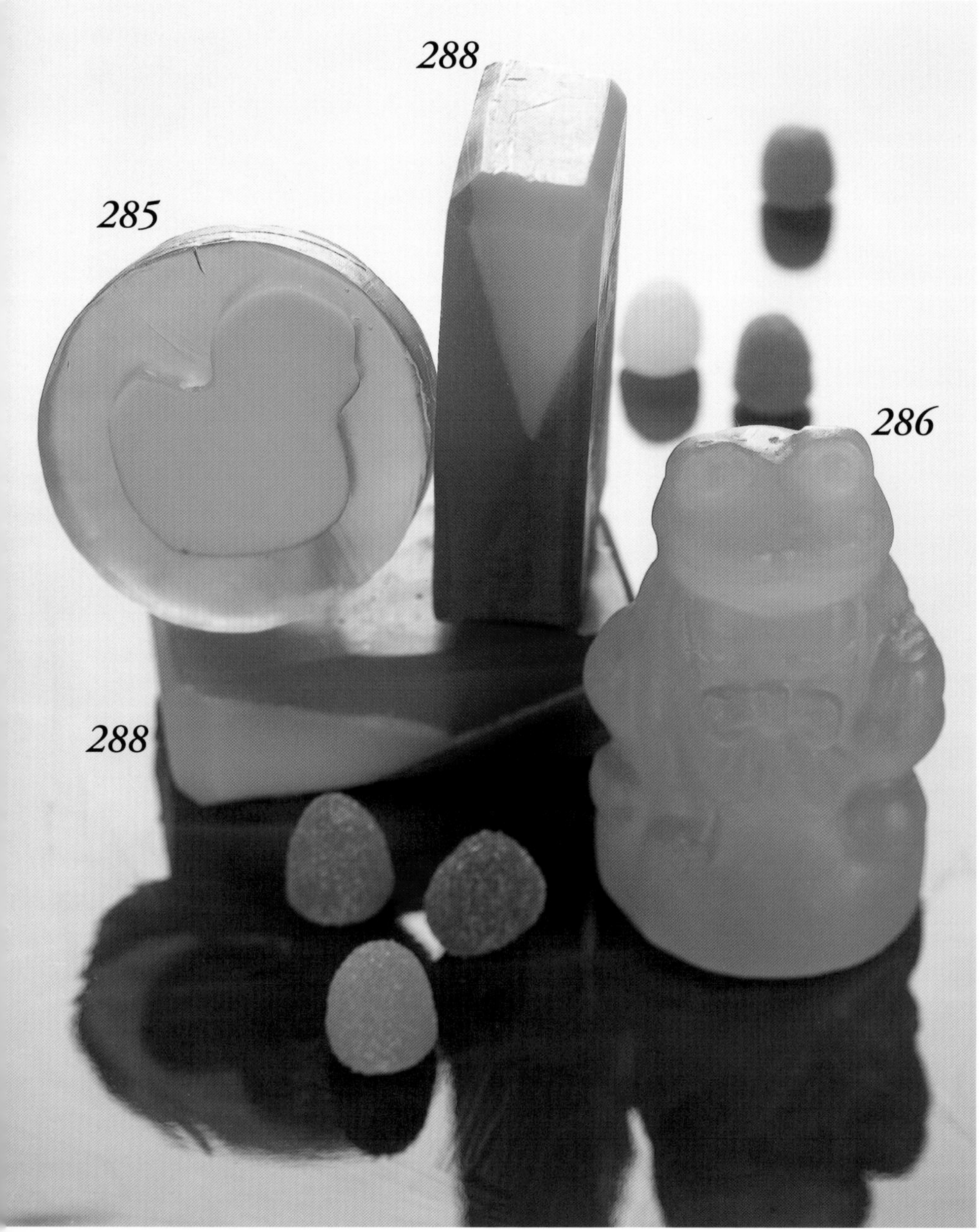

Receta 284

Camafeo creativo

Para dos trozos de 2 cm de ancho.

Base de fundido y vertido: 85 g de base de glicerina transparente, 85 g de base de glicerina blanqueada.

Fragancia: 4 gotas de incienso, 10 gotas de gardenia, 6 gotas de vainilla.

Colorante: 8 gotas de azul (4 gotas para cada base).

Moldes: molde de tubo de dos partes de camafeo, molde de tubo redondo de 6,3 cm.

Véase "Jabones moldeados de tubo" de la sección de Técnicas para diseñar.

Receta 285

Pato creativo

Para dos trozos de 2 cm de ancho.

Base de fundido y vertido: 85 g de base de glicerina transparente, 85 g de base de glicerina blanqueada.

Fragancia: 12 gotas de polvos de talco, 5 gotas de rosa, 4 gotas de vainilla.

Colorante: 5 gotas de amarillo (para la base blanca), 4 gotas de azul (para la base transparente).

Moldes: molde de tubo de dos partes de pato, molde de tubo redondo de 6 cm.

Véase "Jabones moldeados de tubo" de la sección de Técnicas para diseñar.

Receta 286

Rana verde de Jon

Jonathan, mi hijo de 11 años, desarrolló esta receta con muchos de sus aromas favoritos. Para una pastilla.

Base de fundido y vertido: 115 g de base de glicerina transparente.

Fragancia: 20 gotas de naranja dulce, 15 gotas de lima.

Colorante: 5 gotas de verde.

Moldes: molde de rana de goma para 115 g.

Véase la Técnica básica.

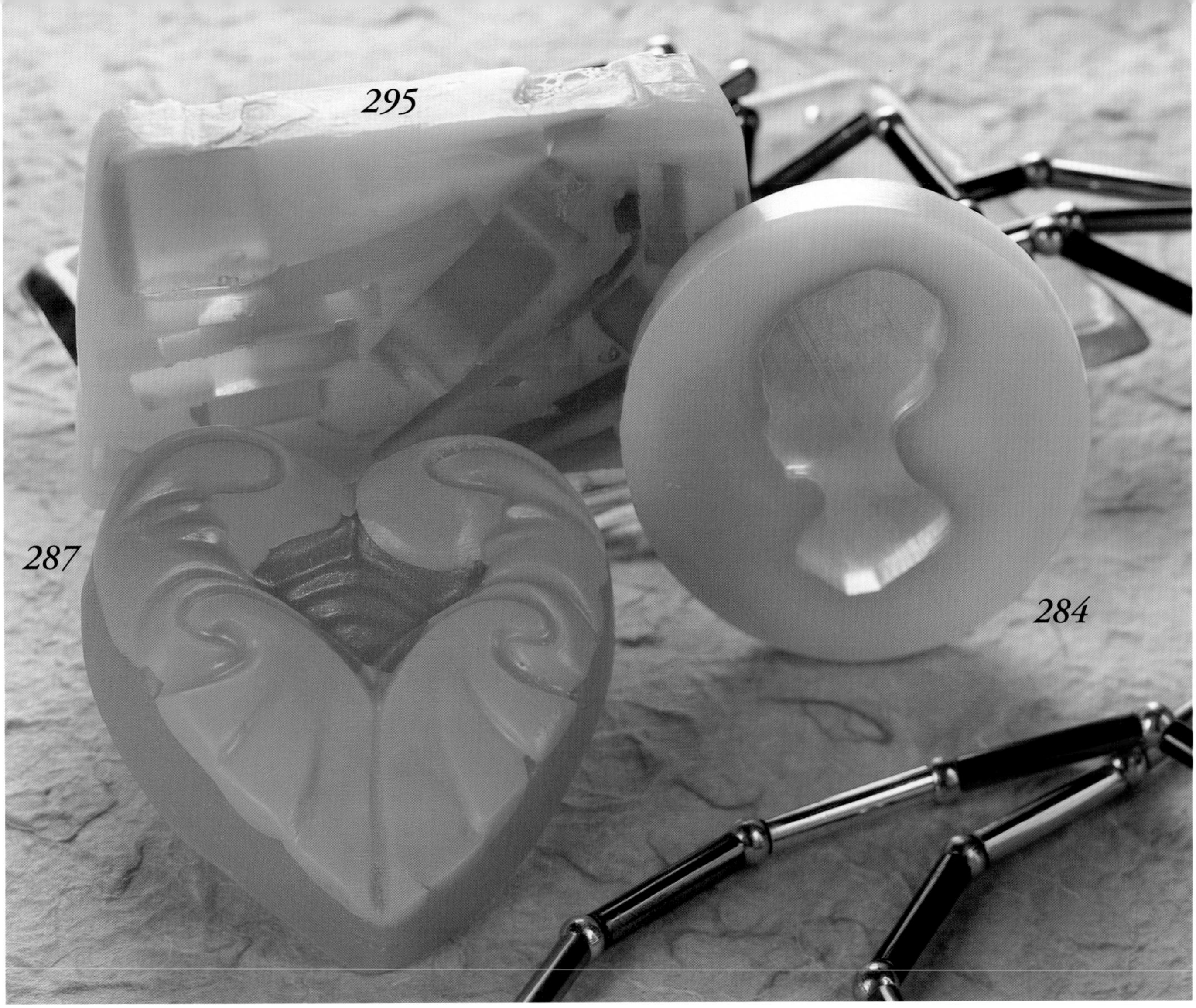

Receta 287

Corazón rosa de Katie

Katie, mi hija de 16 años, necesitaba una pastilla suave para su piel y muy rosa.

Base de fundido y vertido: 30 g de base de glicerina rosa opaco precoloreada, 85 g base de glicerina rosa fluorescente.

Fragancia: 10 gotas de pera, 10 gotas de vainilla.

Aditivos: 1 cucharada de mantequilla de karité.

Moldes: molde de corazón con volutas para 100 g.

Véase "Jabones con áreas de color definidas" (Verter y raspar) de la sección de Técnicas para diseñar.

Receta 288

Arlequín

Incluso con moldes simples puede crear diferentes efectos. Este molde se mantuvo inclinado en un ángulo de 45 grados cuando el jabón se vertió para crear un efecto de capas muy festivo. Para dos pastillas.

Base de fundido y vertido: 70 g de base de glicerina transparente, 140 g de base de glicerina blanqueada.

Fragancia: 5 gotas de mango, 10 gotas de melón, 5 gotas de frambuesa.

Colorante: 3 gotas de brillantina azul (para la base blanca de 70 g), 3 gotas de rojo (para la base transparente de 70 g), 4 gotas de amarillo (para la base blanca de 70 g).

Moldes: molde rectangular para 115 g inclinado en un ángulo de 45 grados antes de verterse.

Véase "Jabones con capas" de la sección de Técnicas para diseñar.

Jabones de barra

Con las siguientes recetas de jabones de estilo de barra se elaboran muchas pastillas aromáticas y divertidas.

Receta 289

Barra de arco iris

Seis pastillas grandes de 2,5 cm de ancho.

Base de fundido y vertido: 480 g de base de glicerina transparente.

Incrustaciones: 1/4 taza de cada de trozos de cubitos de jabón rojos, amarillos y verdes.

Fragancia: 20 gotas de frambuesa, 40 gotas de agua.

Moldes: molde de barra de plástico, 10 × 15 × 8 cm de profundidad.

Véase "Jabones en trozos" de la sección de Técnicas para diseñar.

Receta 290

Barra de lima y jengibre

Seis pastillas grandes de 2,5 cm de ancho.

Base de fundido y vertido: 480 g de base de glicerina transparente.

Aditivos/incrustaciones: 1 taza de base de glicerina transparente con aceite de oliva, cortar en cubitos de 1 cm y trozos de molde de tubo de lima (ver receta 114).

Fragancia: 20 gotas de jengibre, 35 gotas de lima.

Moldes: molde de barra de plástico, 10 × 15 × 8 cm de profundidad.

Véase "Jabones en trozos" de la sección de Técnicas para diseñar.

Receta 291

Barra de limonada

Seis pastillas grandes de 2,5 cm de ancho.

Base de fundido y vertido: 480 g de base de glicerina transparente.

Aditivos/incrustaciones: 1/2 taza de cubos de glicerina transparente, 1/2 taza de cubos de base amarilla y 6 trozos de molde de tubo de limón.

Fragancia: 20 gotas de menta, 40 gotas de limón.

Moldes: molde de barra de plástico, 10 × 15 × 8 cm de profundidad.

Véase "Jabones en trozos" de la sección de Técnicas para diseñar.

Receta 292

Barra de té verde y hierba de limón

Siete pastillas grandes de 2 cm.

Base de fundido y vertido: 720 g de base de glicerina transparente con aceite de cáñamo.

Fragancia: 30 gotas de hierba de limón, 30 gotas de té verde.

Aditivos: 1/4 taza de té verde.

Moldes: molde de barra de plástico, 10 × 15 × 8 cm de profundidad.

Véase la Técnica básica.
Cortar los trozos con un cuchillo.

Receta 293

Barra de miel y harina de avena

Seis pastillas grandes de 2,5 cm de ancho.

Base de fundido y vertido: 480 g de base de glicerina blanqueada con aceite de coco.

Aditivos/incrustaciones: cubos de jabón de 2,5 × 5 cm de base de glicerina transparente con aceite de oliva moldeado con 1/4 taza de harina de avena, 20 gotas de fragancia de miel, y 10 gotas de colorante anaranjado y 4 gotas de colorante azul (para obtener una tonalidad ámbar).

Fragancia: 25 gotas de fragancia de almendras y miel añadidas a la base blanca.

Moldes: molde de barra de plástico, 10 × 15 × 8 cm de profundidad.

Véase "Jabones en trozos" de la sección de Técnicas para diseñar.

Receta 294

Barra de amapola y limón

Seis pastillas grandes de 2,5 cm de ancho.

Base de fundido y vertido: 480 g de base de glicerina blanqueada con aceite de coco.

Aditivos/incrustaciones: cubos de jabón de 2,5 × 5 cm de base de glicerina transparente con aceite de oliva moldeado con 1/4 taza de semillas de amapola, 30 gotas de fragancia de limón y 15 gotas de colorante amarillo.

Fragancia: 25 gotas de fragancia de galleta de azúcar añadidas a la base blanca.

Moldes: molde de barra de plástico, 10 × 15 × 8 cm de profundidad.

Véase "Jabones en trozos" de la sección de Técnicas para diseñar.

291
290
89

Receta 295

Pastilla de refugio

Ésta es otra gran idea de la artista del jabón Kaila Westerman. Cuando se utiliza la técnica de fundido y vertido, se termina con un montón de restos de jabón. Éste es un modo de aprovecharlos. Para seis pastillas grandes de 2,5 cm de ancho.

Base de fundido y vertido: 480 g de base de glicerina blanqueada con aceite de coco.

Incrustaciones: trozos de jabón de todos los colores y aromas.

Moldes: recipientes de plástico, 10 × 15 × 8 cm de profundidad (me gusta usar recipientes desechables que vienen con tapa y pueden meterse en el microondas. Son fáciles de rellenar, las tapas mantienen su frescura, y son sencillos para su empleo en el refugio).

Véase "Jabones en trozos" de la sección de Técnicas para diseñar. Colocar los restos en el molde de barra. Cuando esté lleno, verter en él la base blanca.

Receta 296

Barra de almizcle de pera

Para seis pastillas grandes de 2,5 cm de ancho.

Base de fundido y vertido: 300 g de base de glicerina blanqueada con aceite de coco.

Incrustaciones: columnas de jabón de 5 cm de diámetro y 15 cm de largo hechas con 1 taza de base de glicerina transparente con cubos de aceite de cáñamo y 230 g de base de glicerina blanqueada con 10 gotas de colorante de naranja, 4 gotas de colorante azul y 30 gotas de fragancia de pera. 1/2 taza adicional de cubitos de jabón se colocó en el molde con la columna de jabón encima.

Fragancia: 25 gotas de fragancia de almizcle, 10 gotas de piña y 10 gotas de vainilla añadidas a la base de glicerina blanqueada.

Moldes: molde de barra de plástico, 10 × 15 × 8 cm de profundidad.

Véase "Jabones en trozos" de la sección de Técnicas para diseñar.

Jabones para mensajes

Estos jabones transmiten mensajes, tanto verbales como pictóricos. Son perfectos para conmemorar una ocasión especial y son estupendos para regalar en las fiestas.

Receta 297

Jabones de foto

Estos tres jabones de fotos muestran la imagen en una superficie curva, una superficie coloreada y una base transparente. La mayoría de las fotos quedan mejor en una base blanca.

Base de fundido y vertido: 170 g de base de aceite de coco, 140 g de base de glicerina transparente con aceite de cáñamo.

Fragancia: 5 gotas de rosa (para 55 g de la base blanca), 10 gotas de ráspano (para 115 g de la base blanca), 10 gotas de menta (para la base transparente).

Colorante: 2 gotas de rojo (para la base de 55 g blanca).

Moldes: 115 g, rectángulo; 55 g, corazón; 140 g, cuadrado.

Véase "Jabones con imágenes" en la sección de Técnicas para diseñar.

Receta 298

Jabón de bodas

Los jabones de tubo son una forma perfecta y sencilla de hacer un montón de preciosos trozos de jabón. Mi sobrina Renee diseñó estos jabones para su boda con Shawn.

Base de fundido y vertido: 540 g de base de glicerina transparente.

Fragancia: 20 gotas de lavanda, 30 gotas de vainilla.

Colorante: 20 gotas de amarillo, 10 gotas de blanco.

Moldes: molde de tubo de plástico con forma de flor de 8 cm.

Para resaltar: adorno floral y letras en color fotocopiadas y laminada.

Véanse "Jabones moldeados de tubo" y "Jabones laminados" de la sección de Técnicas para diseñar.

299

298

Receta 299

Jabones de proverbio

La idea para esta receta viene de mi suegra Betty, quien se merece una mención por la cantidad de ideas que me ha aportado. Para una pastilla.

Base de fundido y vertido: 115 g de base de glicerina transparente.

Fragancia: 5 gotas de vainilla, 5 gotas de especias mezcladas.

Incrustaciones: trozo de acetato transparente 5 × 8 cm.

Moldes: Molde rectangular para 115 g.

Véanse "Jabones laminados" y "Jabones con incrustaciones" en la sección de Técnicas para diseñar. Escriba las palabras de ánimo o para inspirar en el acetato con tinta negra permanente y protéjalo con una película para laminar.

Receta 300

Fin

Con esto terminamos. Para una pastilla.

Base de fundido y vertido: 85 g de base de glicerina transparente.

Incrustaciones: trozo de acetato transparente de 5 × 8 cm.

Moldes: Molde rectangular para 85 g.

Véanse "Jabones laminados" y "Jabones con incrustaciones" en la sección de Técnicas para diseñar. Escriba la palabra "FIN" en el acetato con tinta negra permanente y protéjalo con una película para laminar. Recorte las esquinas para que no queden aristas.

Índice alfabético